NAZOKEN

謎検

対策問題集

2020

はじめに

謎解き力とは、可能性を探る力です。
一つの問いを解くためには、
さまざまな考え方やアプローチが必要になります。
しかし、正解は一つしかありません。
ならば、どれだけたくさんの考え方やアプローチを思いつけるか？
これが謎解き力の本質です。

仕事においても、学習においても、遊びにおいても、
恋愛においても、生活においても、
「どれだけたくさんの”解”の可能性を思いつけるか」以上に
大切なことはないでしょう。
その力を測るのが「謎検」（正式名称：謎解き能力検定）です。

本書には、謎検の出題形式に合わせた「謎検模試」を５本収録しています。
一問一答形式の問題でありながら、模試にはそれぞれ大謎が存在します。
今後の謎検受検に向けてお役立てください。

また、「リアル脱出ゲームで失敗した！」「もっと謎が解けるようになりたい！」
そんな方にもこの問題集に挑戦していただきたいです。

謎解き力は鍛えられます。

本書を通して観察力を磨き、思考の道筋を増やすことで
謎を解くための技術を身につけていただければと思います。

株式会社 SCRAP

NAZOKEN POINT

5つの問題ジャンル

謎検では、「謎解き力」を以下の5ジャンルに分けて
出題・判定しています。

INSPIRATION

【ひらめき力】
過去の経験・記憶から、
直感的に答えを引っ張り出してくる力

ATTENTION

【注意力】
よく観察し、問題の中にある違和感や
違いに気が付く力

ANALYTICAL

【分析力】
情報を多角的に捉え、
解答までの道筋を組み立てる力

REASONING

【推理力】
ルールや法則を見つけ出し、
答えを導く力

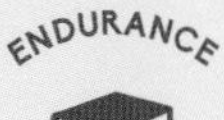

ENDURANCE

【持久力】
最後まで諦めずに謎に向き合う力、
もれなく確認しながら解いていく思考体力

CONTENTS

もくじ

問題編

解答・解説編

HOW TO NAZOKEN

この本の使い方

- 本書は「問題編」「解答・解説編」に分かれています。

- 謎検を受検予定の方は巻末の解答用紙を切り離し、
時間を測って解いていくことをおすすめします。
必ず「注意事項」を読んでから始めてください。

- 謎検模試はすべて4～8点の傾斜配点です。
配点は問題ページの右下に記載されています。

- 問題のジャンルは解答・解説ページに記載しています。
ご自身の苦手なジャンルを分析するのにお役立てください。

用意するもの

- ✓ 筆記用具
- ✓ メモ用紙
- ✓ タイマー（必要に応じて）

QUESTION

問題編

?

NAZOKEN 2020-01

謎検模試

01

? 謎検模試 01

（書籍オリジナル問題）

- 問題数　20問
- 制限時間　20分
- 配点　1問4～8点（100点満点）

! 注意事項

1. 問題数は20問、制限時間は20分です。
   すべて書籍オリジナル問題です。
2. 解答の文字の種別（漢字、ひらがな、カタカナなど）は、
   特に指定がない限り、いずれも正解とみなします。
3. 巻末の「謎検模試01 解答用紙」を切り離し、答えを記入、
   終了後に採点することをおすすめします。
4. 解答・解説はP120から掲載しています。
5. 難易度によって1問4～8点の傾斜配点方法を採用しており、
   満点は100点です。各問題の点数は問題ページの右下に記しています。

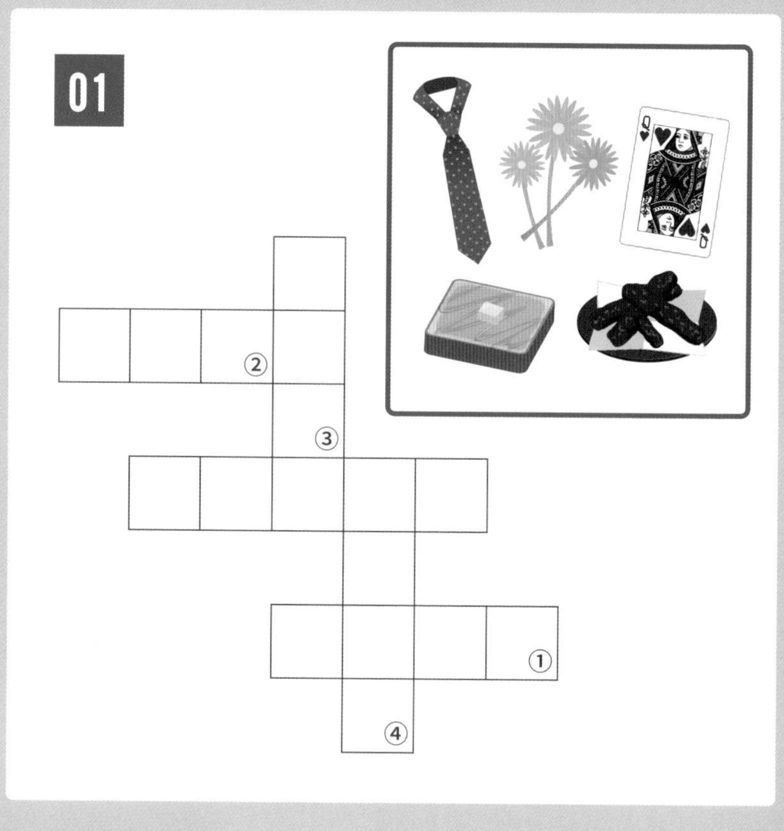

5点

⇒ 正解　P.121

02

☞U☜E

解答

5点

⇒ 正解　P.121

03

= おとな

= こびと

= だいず

= ？

3文字で答えよ

解答

4点

⇒ 正解　P.122

04

記者 ➡ 指揮者

威嚇 ➡ 改革

遺跡 ➡ ？

解答

4点

⇒ 正解 P.122

05

すべてのマスを一度だけ通って
Sから**G**まで進め
ただし赤マスでは曲がれない

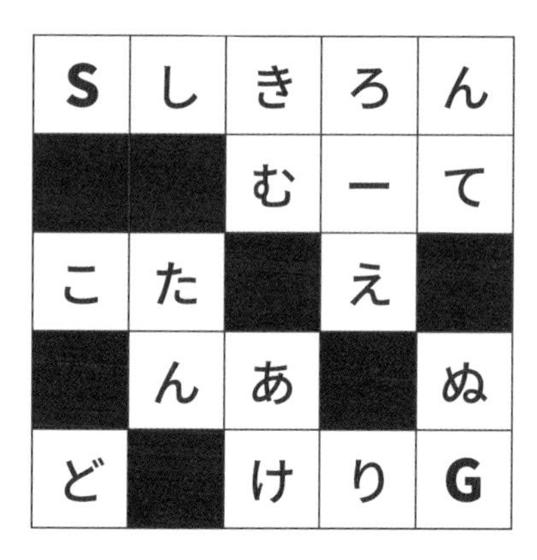

S	し	き	ろ	ん
■	■	む	ー	て
こ	た	■	え	■
■	ん	あ	■	ぬ
ど	■	け	り	G

右折した場所を読め

解答

5点

⇒ 正解　P.123

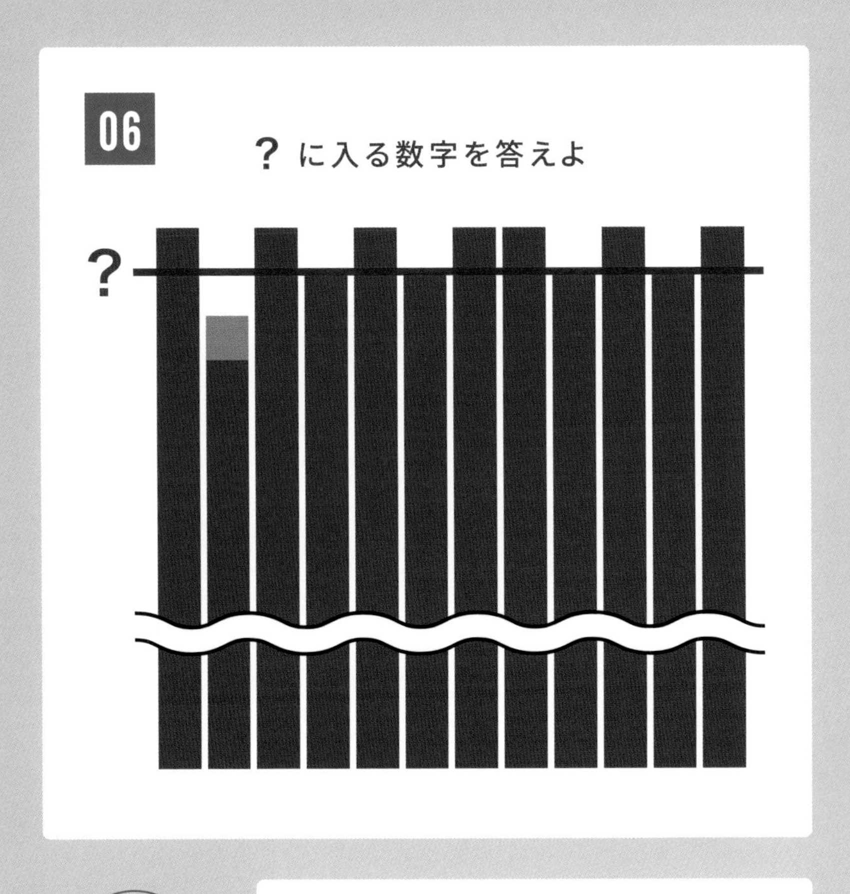

解答

5点

⇒ 正解　P.123

07

赤、青の順に山折りしたとき

S		A			ね
	G		め	げ	
M		P			ゆ
	る		ひ		
こ	た	え		の	て
	に		う		

MAPに重なる文字を読め

解答

4点

⇒ 正解　P.124

08

SAAC —石→ —俳優→ NEAR

CADOCS —医者→ —物語→ ?

アルファベットで答えよ

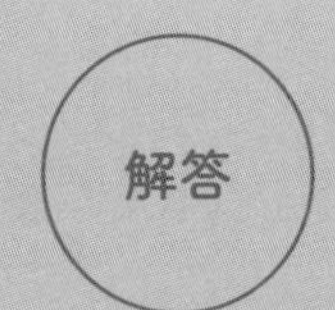

6点

⇒ 正解 P.124

09

←2	3	↑ 1

＝スイカ

2 ↓	1 ↓	
		←3

＝コオリ

1→		
		←2
3→		

＝？

解答

5点

⇒正解　P.125

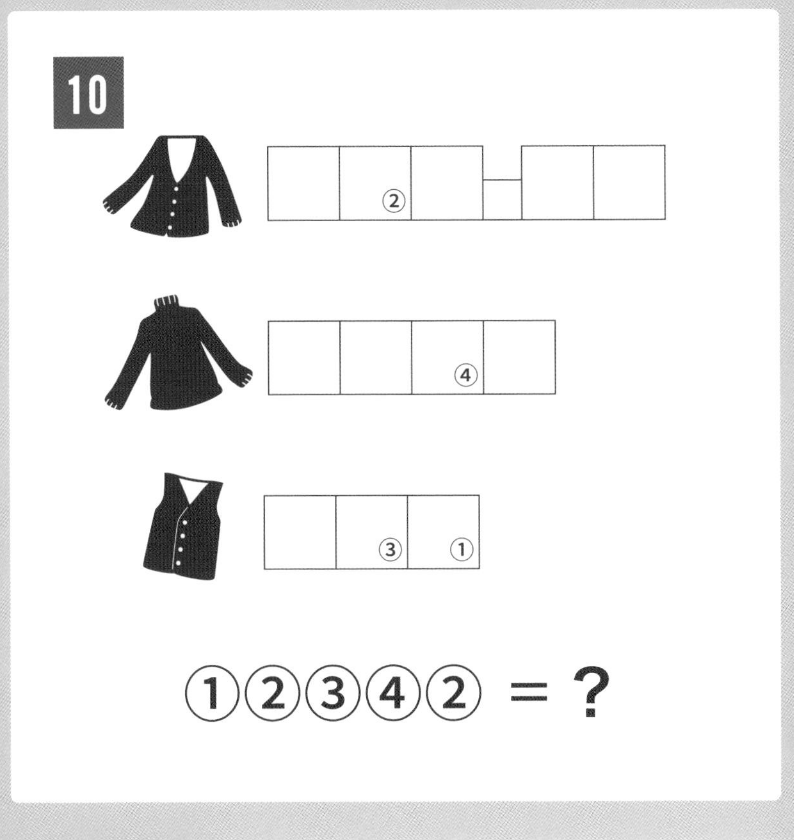

解答

4点

⇒ 正解 P.125

11

B 👂 ＝ 🐻

T 👂 ＝ 😢

H 👂 ＝ ？

アルファベットで答えよ

解答

4点

⇒ 正解　P.126

12

足すと100になるように数字同士をつなげ
ただし、線同士が交差してはいけない

L	T	K	C	70
B	80	V	A	40
D	F	G	50	20
M	I	60	50	J
30	O	P	H	E

曲がった場所を左から順に読め

解答

5点

⇒ 正解 P.126

13

○□△◇　○□◎◎

○◎□△ ＝ ?

解答

6点

⇒ 正解　P.127

14

騎士 ➡ 季語 ➡ 記録

古参 ➡ 腰 ➡ 古語

蟹 ➡ ？ ➡ 歌詞

解答

5点

⇒ 正解 P.127

15

ぺあいがいをよめ

な　く
れ
む
も
を　ぺ
ぱ
ぱ　ん
め
が
な
よ　あ
む
く

解答

4点

⇒ 正解　P.128

16

言葉を3つ作れ

キン ＝ ?
クイ ＝ ?
ハン ＝ ?

[ ] ＝ ?

解答

4点

⇒ 正解 P.128

17

①② ＝ かげ

のとき

③④⑤⑥ ＝ ？

解答

5点

⇒ 正解　P.129

18

右 ➡ 左

解答

6点

⇒ 正解 P.129

19

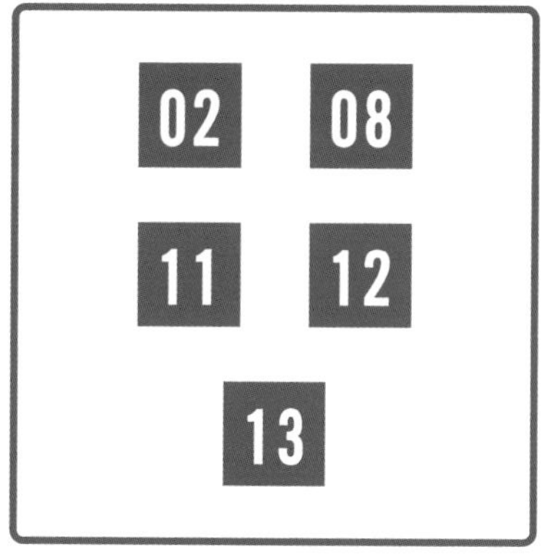

6点

⇒ 正解　P.130

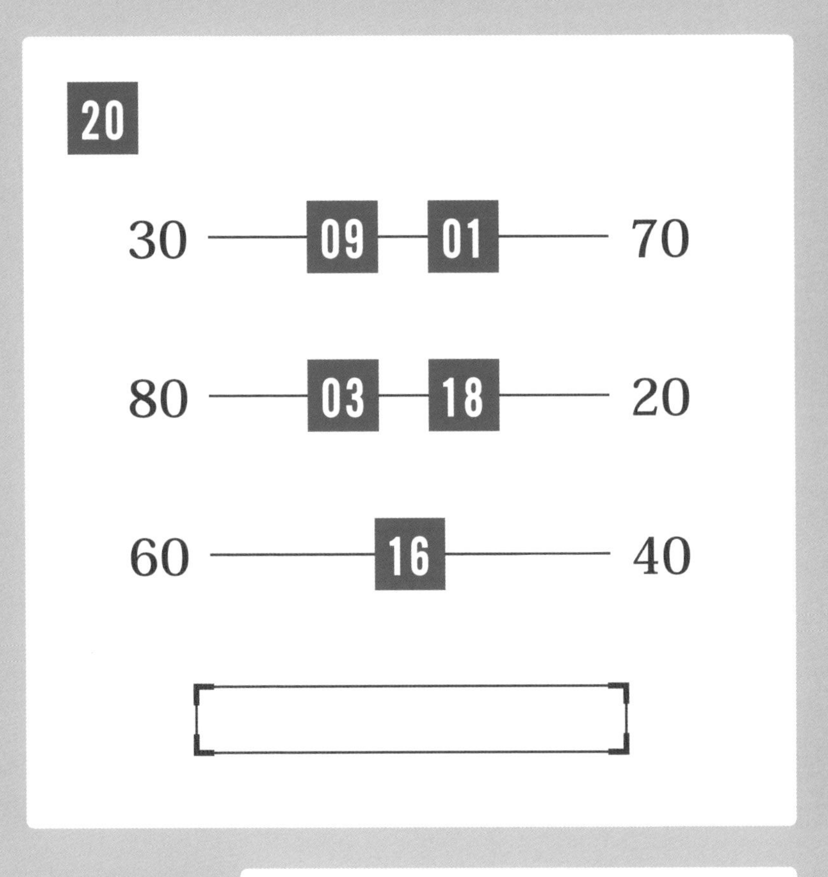

解答

8点

⇒ 正解 P.130

?

NAZOKEN 2020-02

謎検模試

02

? 謎検模試 02

（書籍オリジナル問題）

・問題数　　20問
・制限時間　20分
・配点　　　1問4〜8点（100点満点）

! 注意事項

1. 問題数は20問、制限時間は20分です。
すべて書籍オリジナル問題です。

2. 解答の文字の種別（漢字、ひらがな、カタカナなど）は、
特に指定がない限り、いずれも正解とみなします。

3. 巻末の「謎検模試02 解答用紙」を切り離し、答えを記入、
終了後に採点することをおすすめします。

4. 解答・解説はP131から掲載しています。

5. 難易度によって1問4〜8点の傾斜配点方法を採用しており、
満点は100点です。各問題の点数は問題ページの右下に記し
ています。

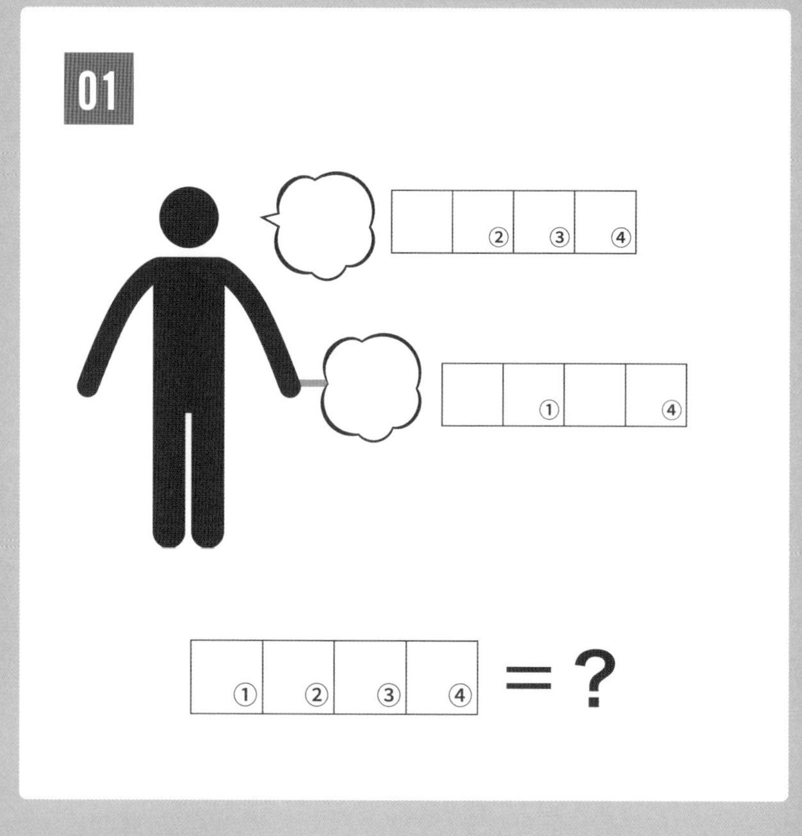

解答

4点

⇒ 正解　P.132

解答

4点

⇒正解　P.132

03

…チハナ●クロゴ▲ヨンサニチ■

●■▲＝？

解答

5点

⇒正解　P.133

04

すべてのマスを1度ずつ通り、
スタートからゴールまで進め。
スタートのマスを1マス目として、
3の倍数番目に通ったマスの文字を読め。

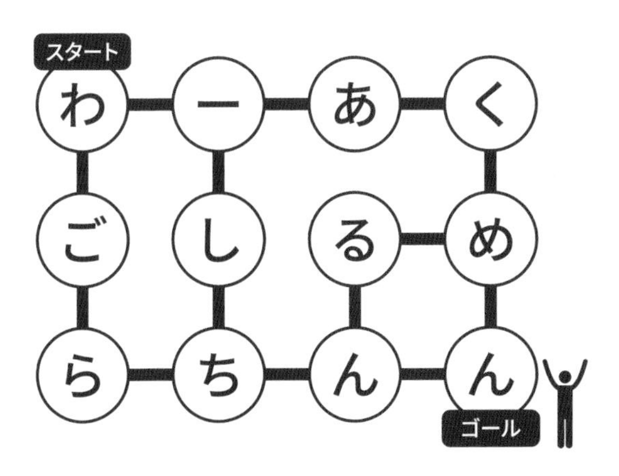

解答

5点

⇒ 正解 P.133

05

H4　S4　S1 ➡ イワシ

S1　H1　R2 ➡ ？

4点

⇒正解　P.134

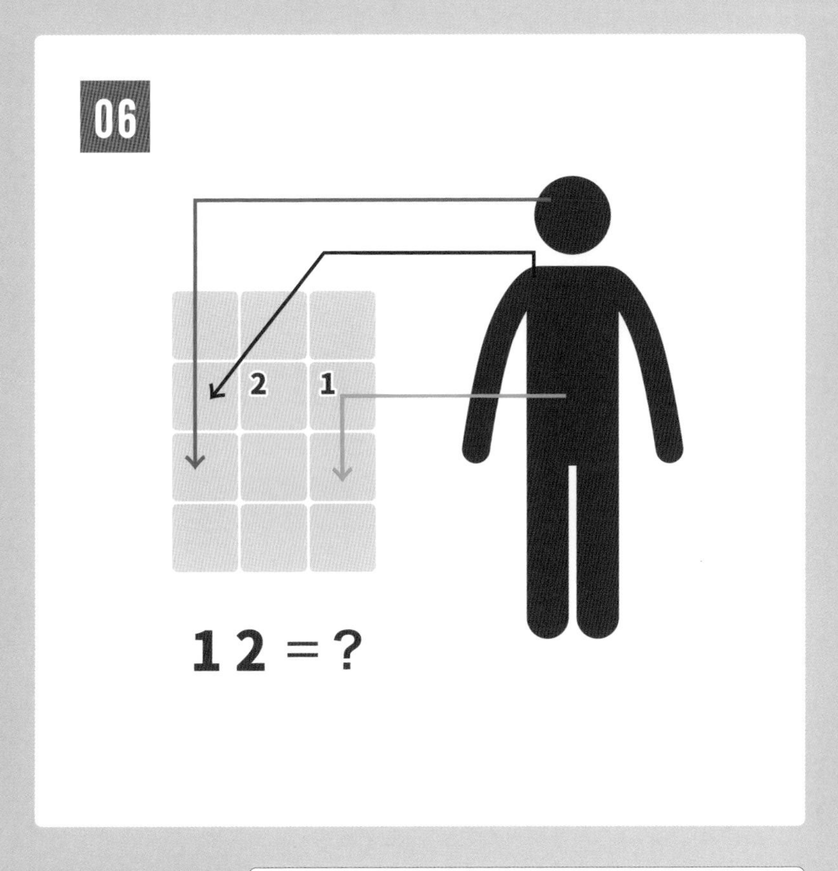

解答

6点

⇒正解 P.134

07

すべてペアになる

材　閉

閣　　果

？

解答

5点

⇒正解　P.135

解答

6点

⇒正解 P.135

09

解答

4点

⇒ 正解 P.136

解答

5点

⇒ 正解 P.136

11

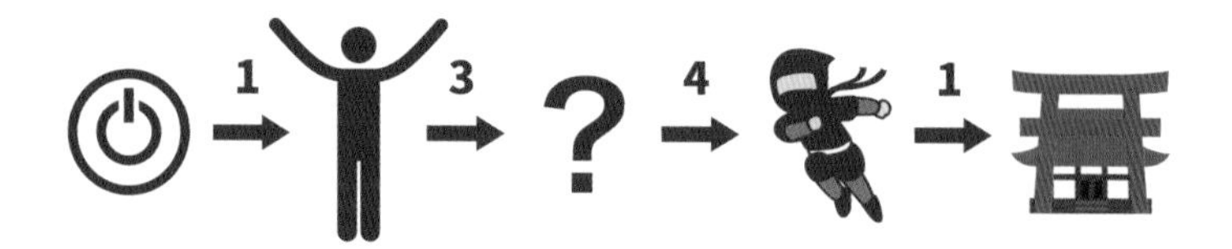

?に当てはまるイラストの名前が答え

解答

5点

⇒正解　P.137

12 つながった輪の中を左から順に読め

解答

5点

⇒ 正解 P.137

13 アルファベットで答えよ

	F	D
	F	T
	D	①
	②	N
?	①	②

?に当てはまるイラストの名前が答え

解答

4点

⇒正解　P.138

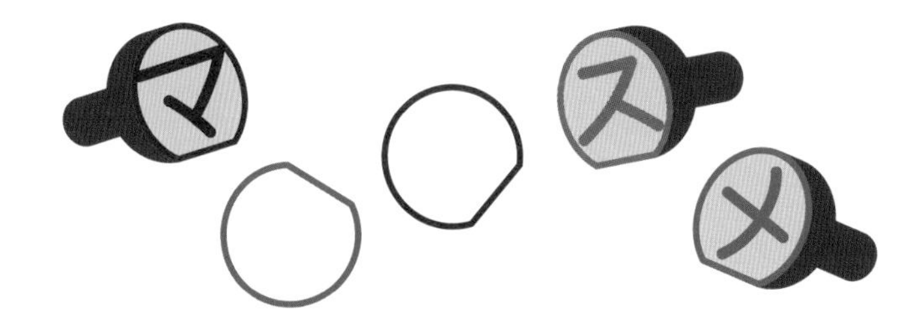

解答

5点

⇒ 正解 P.138

15

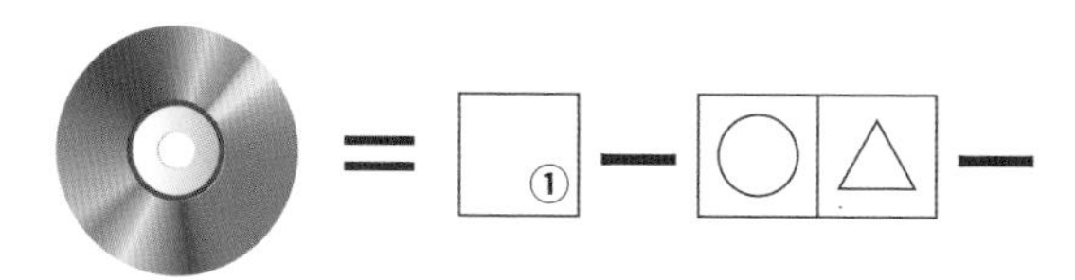

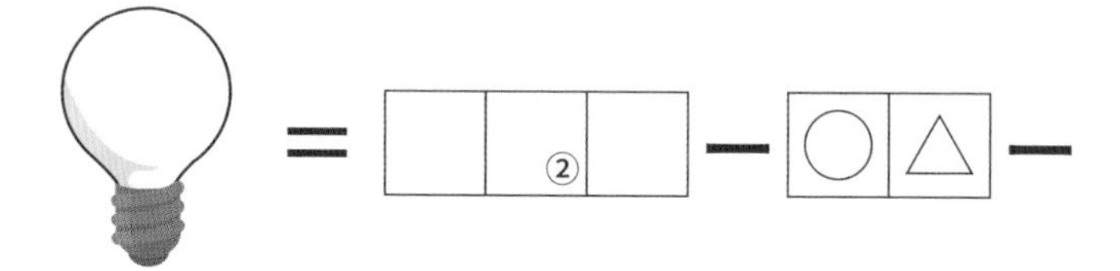

① ― ② ＝ ？

解答

5点

⇒ 正解　P.139

16

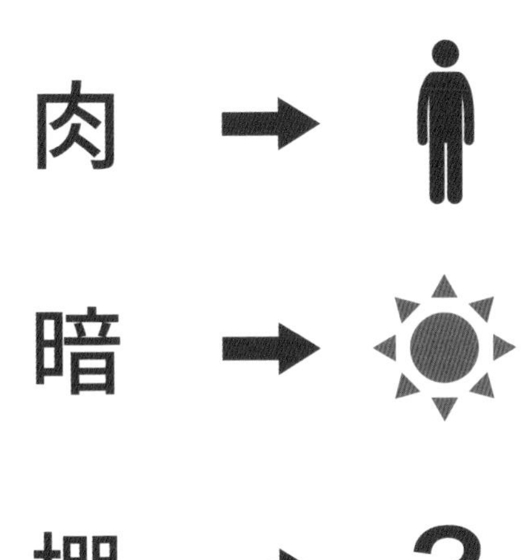

?に当てはまるイラストの名前が答え

解答

4点

⇒正解 P.139

17

2（に）の倍数 ➡ のいう

3（さん）の倍数 ➡ のす

4（よん）の倍数 ➡ ①

5（ご）の倍数 ➡ ②

①② ＝ ？

解答

5点

⇒ 正解　P.140

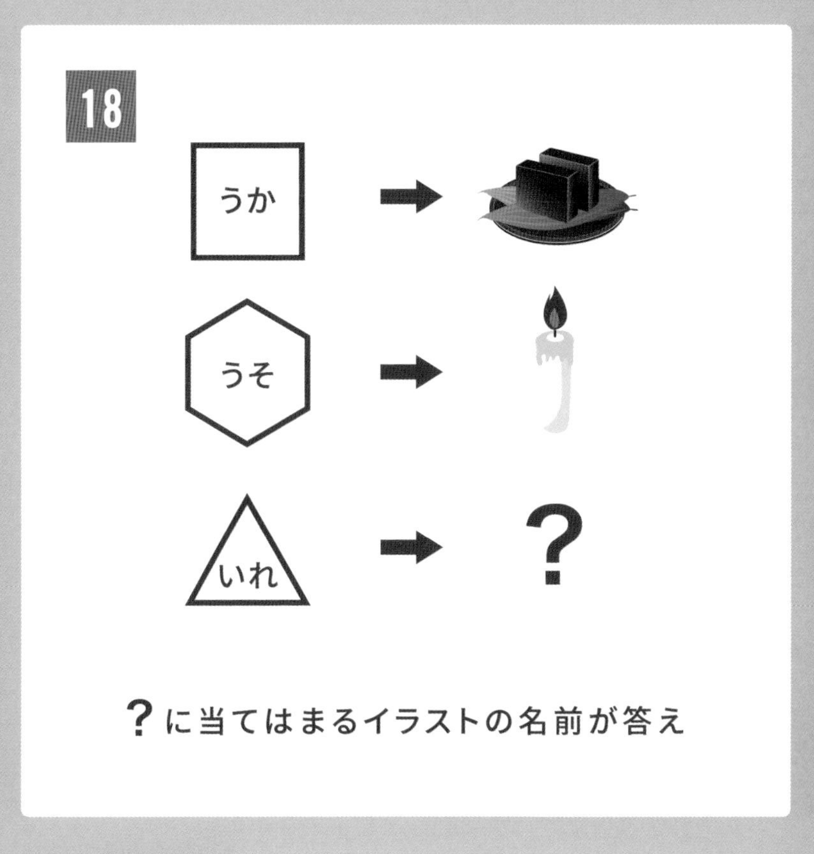

？に当てはまるイラストの名前が答え

解答

6点

⇒正解 P.140

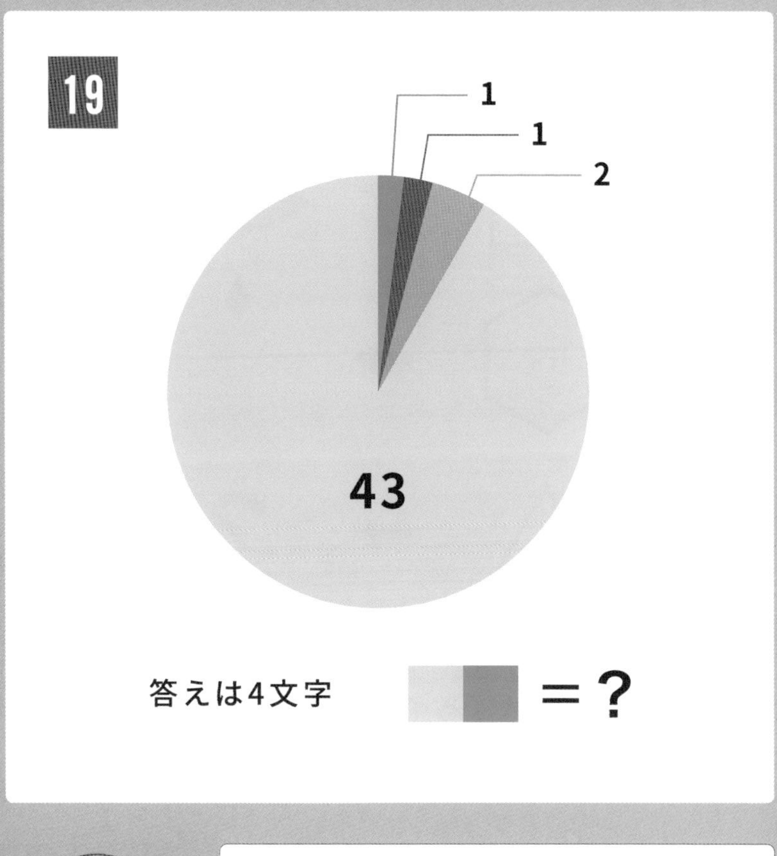

解答

5点

→正解　P.141

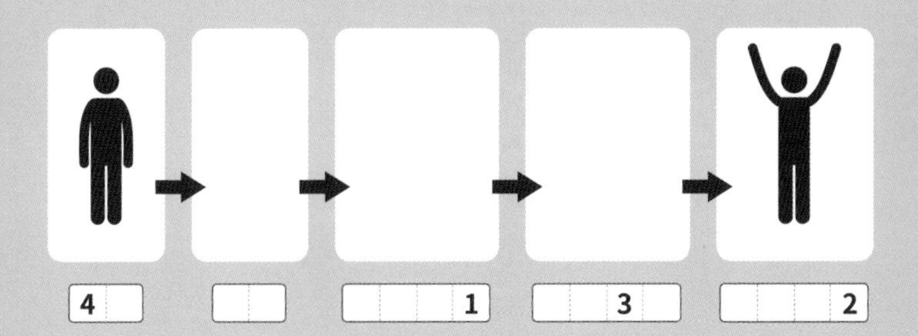

1 2 3 4 ＝？

解答

8点

⇒正解 P.141

?

NAZOKEN 2020-03

謎検模試 03

? 謎検模試 03

（書籍オリジナル問題）

・問題数　20問
・制限時間　20分
・配点　1問4～8点（100点満点）

! 注意事項

1. 問題数は20問、制限時間は20分です。
すべて書籍オリジナル問題です。

2. 解答の文字の種別（漢字、ひらがな、カタカナなど）は、
特に指定がない限り、いずれも正解とみなします。
選択問題は、正しいと思う番号に○をつけてください。

3. 巻末の「謎検模試03 解答用紙」を切り離し、答えを記入、
終了後に採点することをおすすめします。

4. 解答・解説はP142から掲載しています。

5. 難易度によって1問4～8点の傾斜配点方法を採用しており、
満点は100点です。各問題の点数は問題ページの右下に記し
ています。

01

4点

⇒正解　P.143

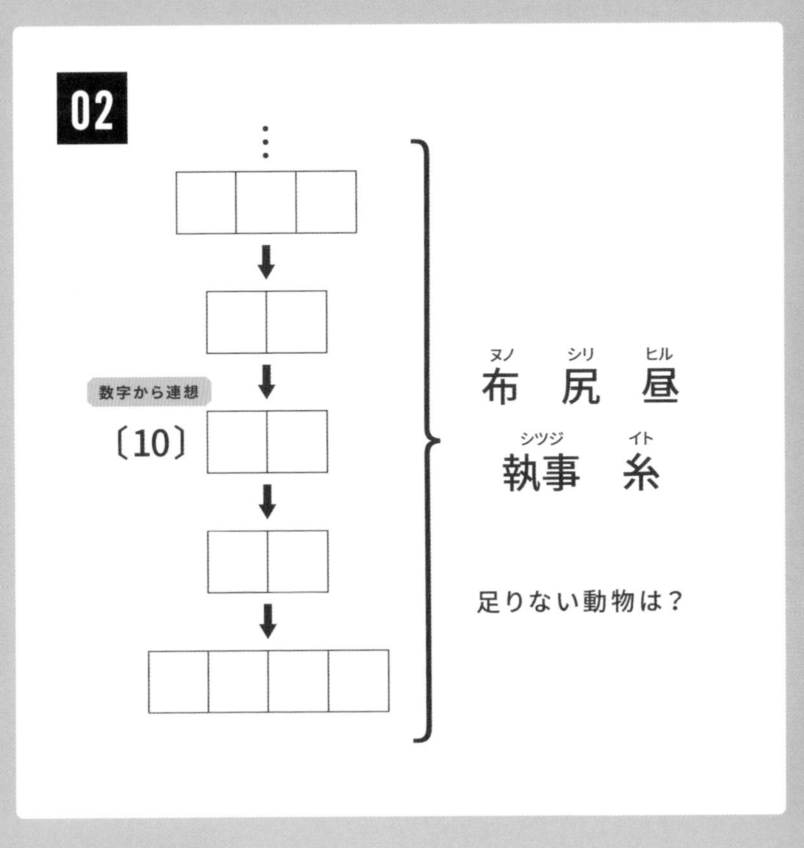

解答

6点

⇒正解 P.143

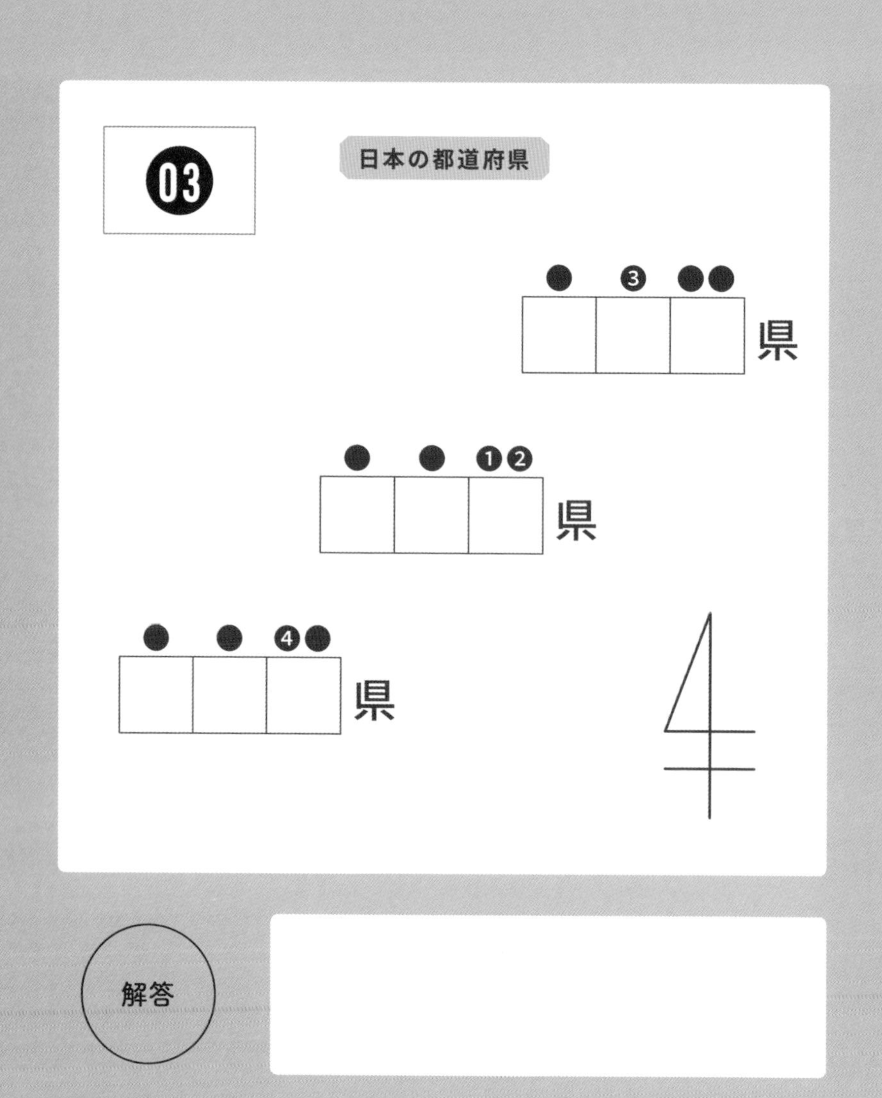

解答

5点

⇒ 正解　P.144

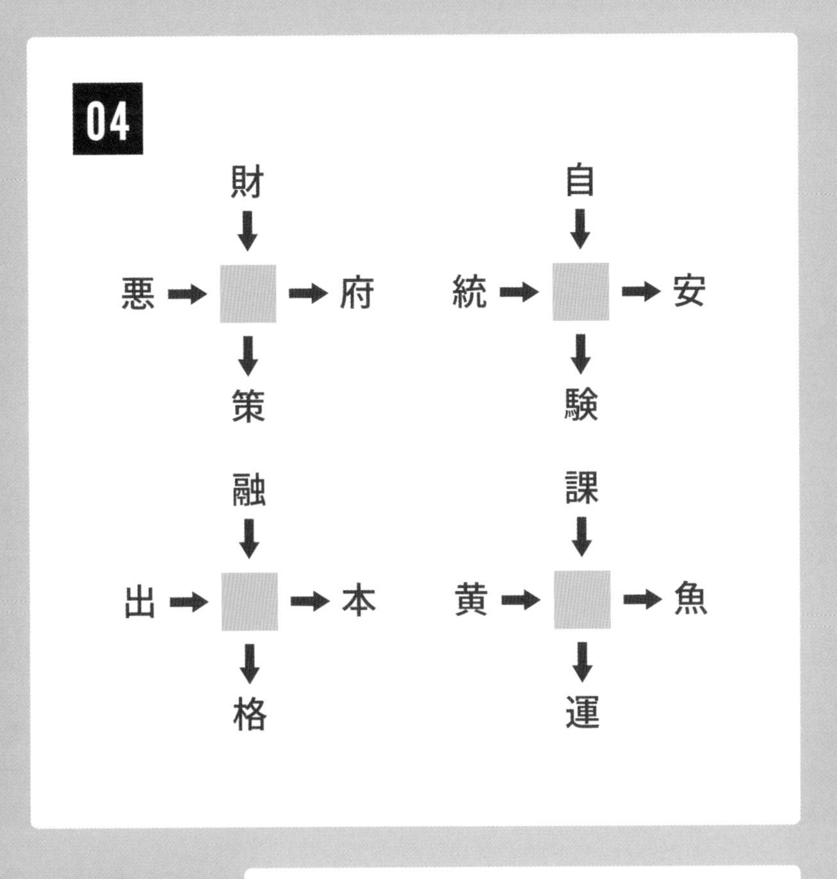

解答

5点

⇒正解 P.144

05

文字並び替え

熱がないタコをハグ

物語にしろ

				を					

解答

5点

⇒正解　P.145

06

整髪 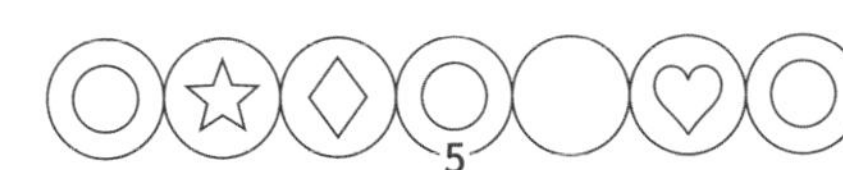

楽器 

毒物 

パン 

野菜 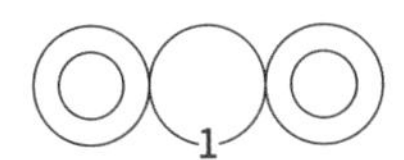

この果物は何？

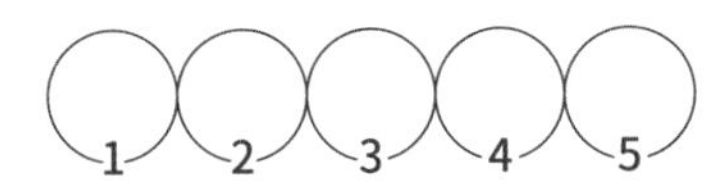

解答

5点

⇒正解　P.145

07

選択問題

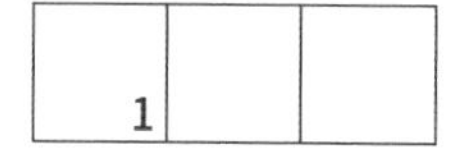

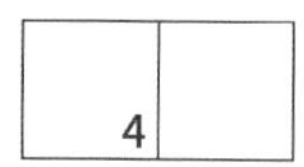

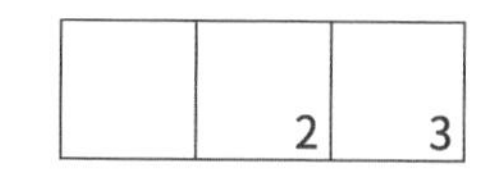

| 1 | 2 | 3 | 4 | ＝？

①とぶ　②なげる　③たべる　④うたう

解答

①　②　③　④

4点

⇒正解　P.146

08

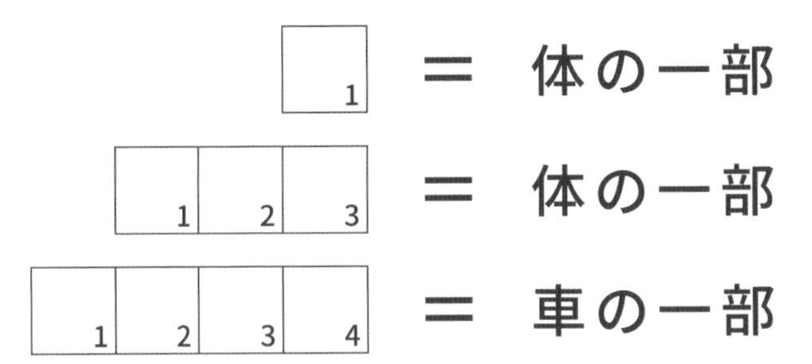

このスポーツは何？

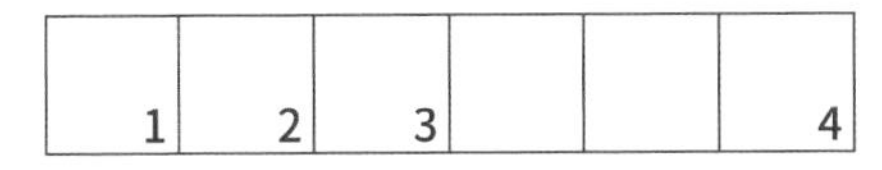

解答

4点

⇒ 正解 P.146

09

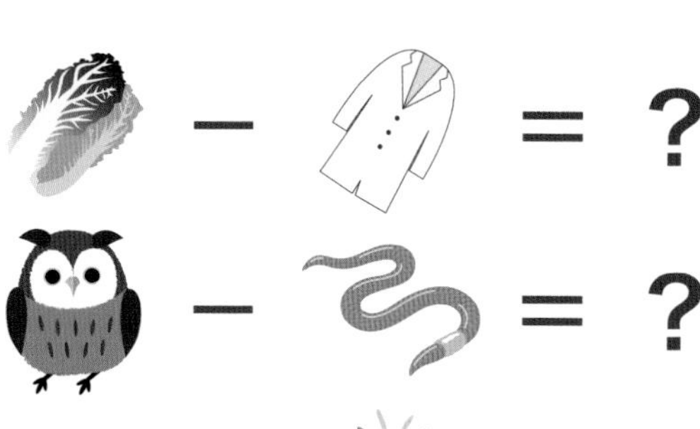

解答

4点

⇒正解　P.147

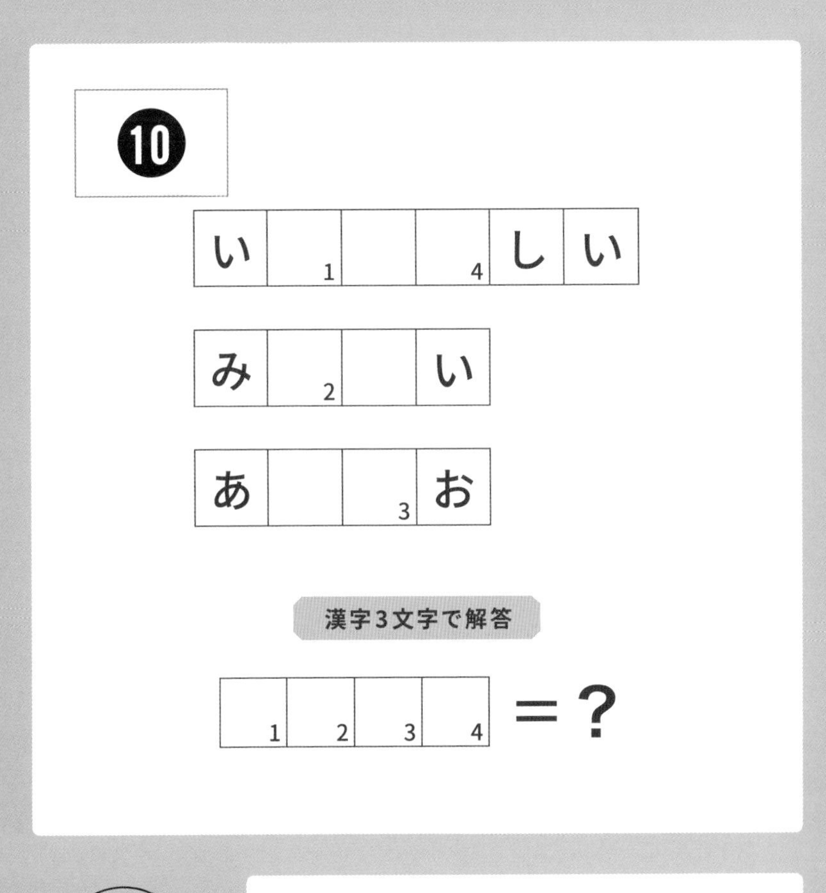

解答

6点

⇒正解　P.147

①おはじき ②たこあげ ③はごいた ④けんだま

4点

⇒正解　P.148

12

M → T → S → H → R

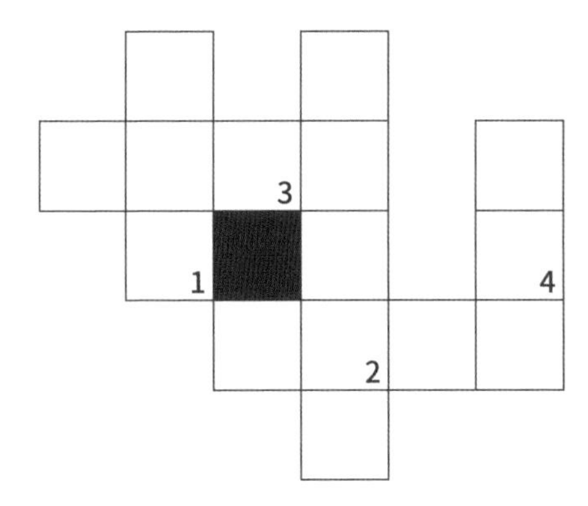

1	2	3	4	＝？

解答

4点

⇒ 正解 P.148

13

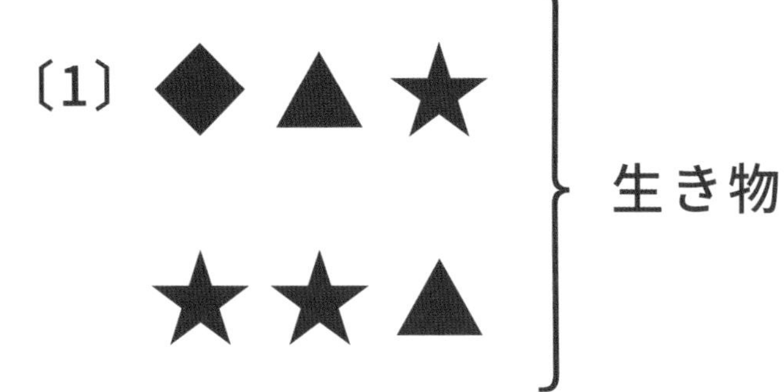

答えは◆★★に★▲

解答

4点

⇒正解　P.149

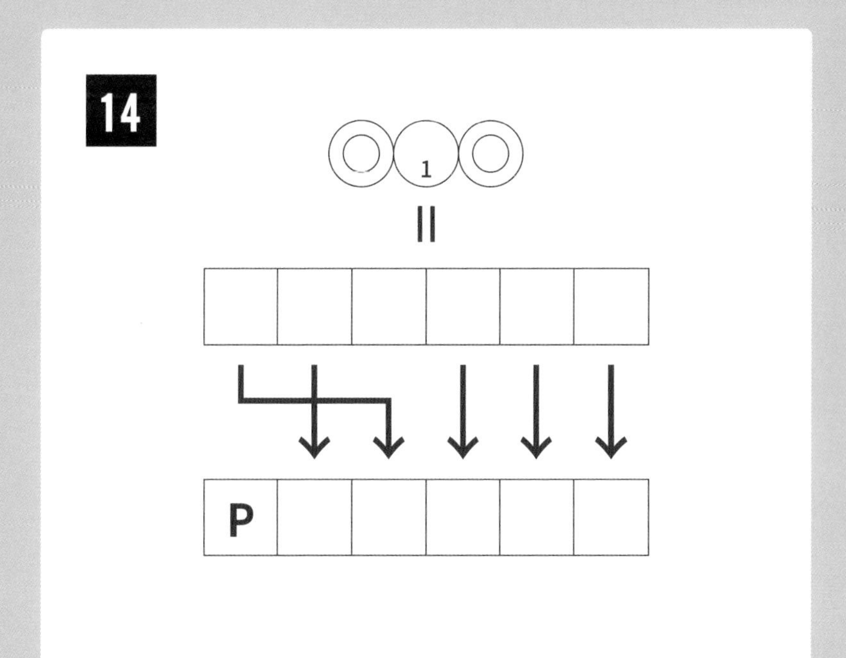

解答

① ② ③ ④

5点

⇒ 正解 P.149

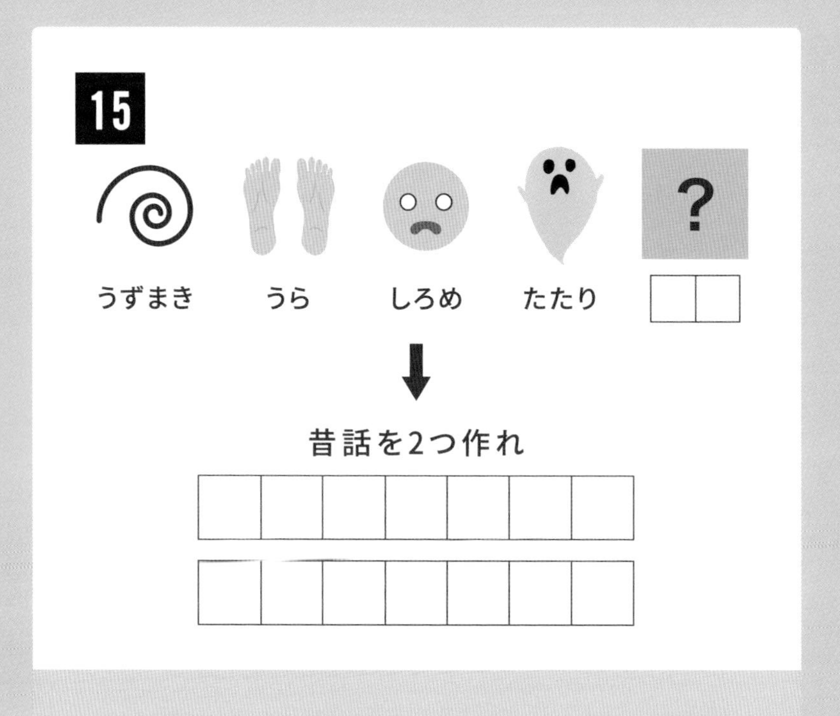

解答

① ② ③ ④

5点

⇒正解 P.150

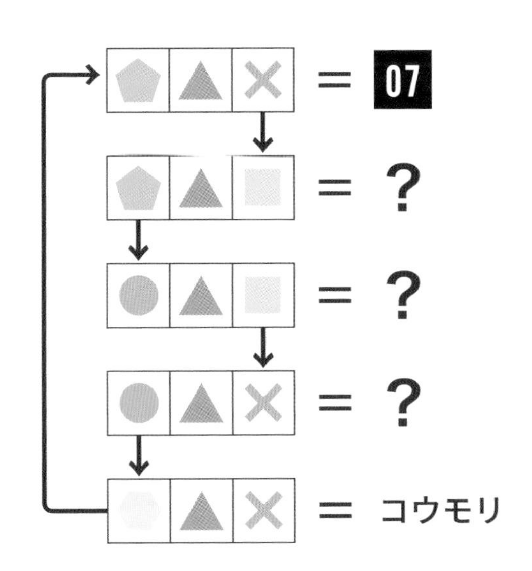

使われないもの漢字1文字で答えろ

耳　鞄　猫　車

解答

6点

⇒正解　P.150

17

03 … ●●●●●①●●●●

07 … ②●●●●●●③

解答

4点

→正解　P.151

18

①く ○

※	米

き○②○○○

弓	弱

○ げ ③

⊥	⊤	±

①えいよ ②おうざ ③はしゃ ④きんぐ

解答

① ② ③ ④

6点

⇒正解 P.151

19

裏を読め

解答

6点

⇒正解　P.152

20

約数から導け

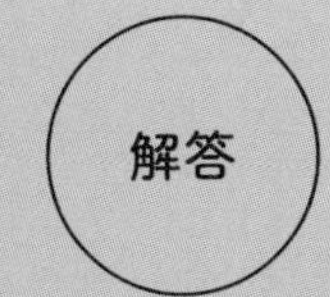

8点

⇒正解 P.152

?

NAZOKEN 2020-04

謎検模試

04

? 謎検模試 04

（書籍オリジナル問題）

- 問題数　20問
- 制限時間　20分
- 配点　1問4～8点（100点満点）

! 注意事項

1. 問題数は20問、制限時間は20分です。
すべて書籍オリジナル問題です。

2. 解答の文字の種別（漢字、ひらがな、カタカナなど）は、
特に指定がない限り、いずれも正解とみなします。
選択問題は、正しいと思う番号に○をつけてください。

3. 巻末の「謎検模試04 解答用紙」を切り離し、答えを記入、
終了後に採点することをおすすめします。

4. 解答・解説はP153から掲載しています。

5. 難易度によって1問4～8点の傾斜配点方法を採用しており、
満点は100点です。各問題の点数は問題ページの右下に記し
ています。

01

これは謎検です。
ほとんどの問題回答方法は選択式です
選択肢の中から選んで答えてください
まず最初の問題。
答えは2つの丸の中です
正しいと思う番号を選んでください

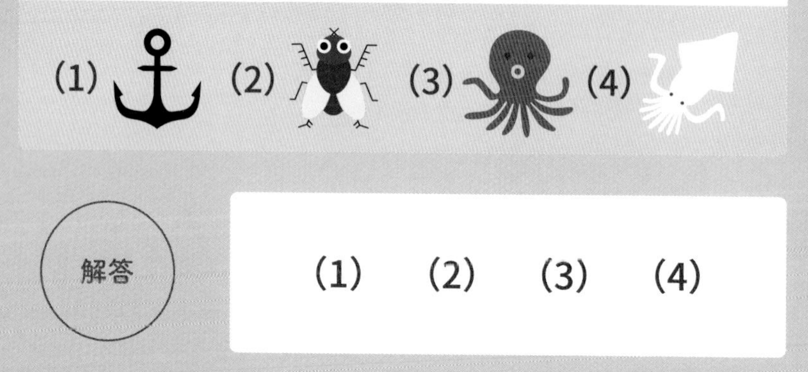

4点

→正解　P.154

① 家族　② 計画　③ 最多　④ 行為

① ② ③ ④

5点

⇒ 正解　P.154

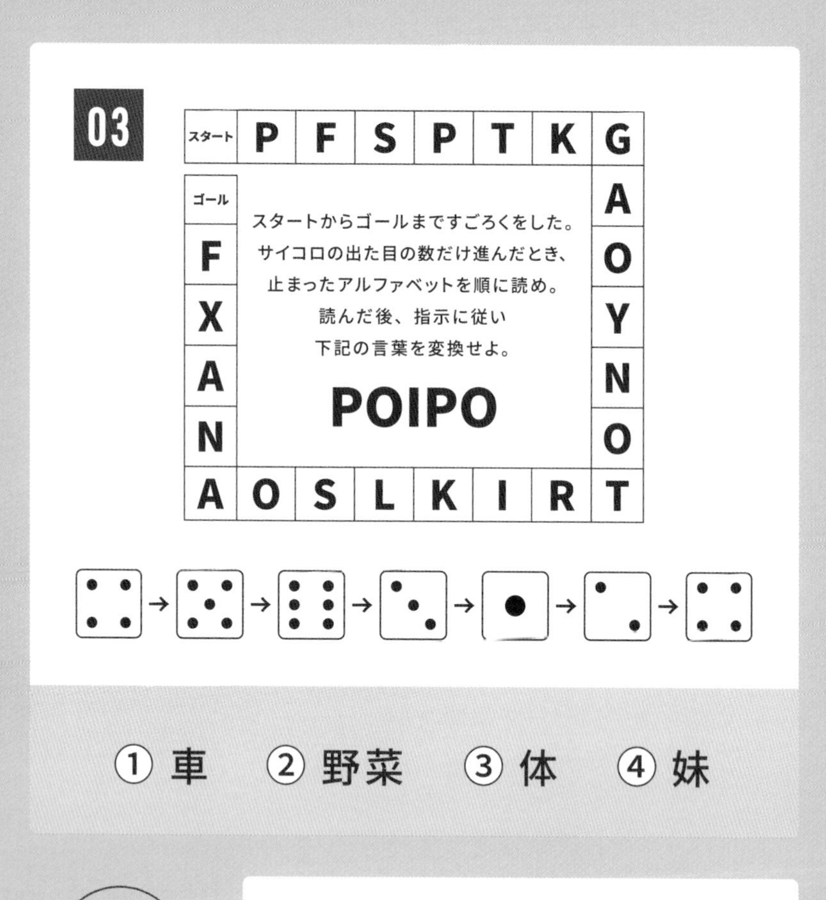

解答

① ② ③ ④

5点

→正解 P.155

04

みみ ➡ ちょう

くち ➡ み

はな ➡ ？

① 7　② 8　③ 9　④ 10

解答

① ② ③ ④

4点

⇒ 正解　P.155

05

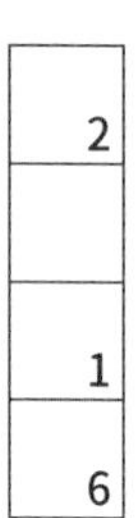

C
E
N
T
E
R

3
4
5
6

① 飛行機　② 科学　③ 石　④ 扉

①　②　③　④

5点

→ 正解　P.156

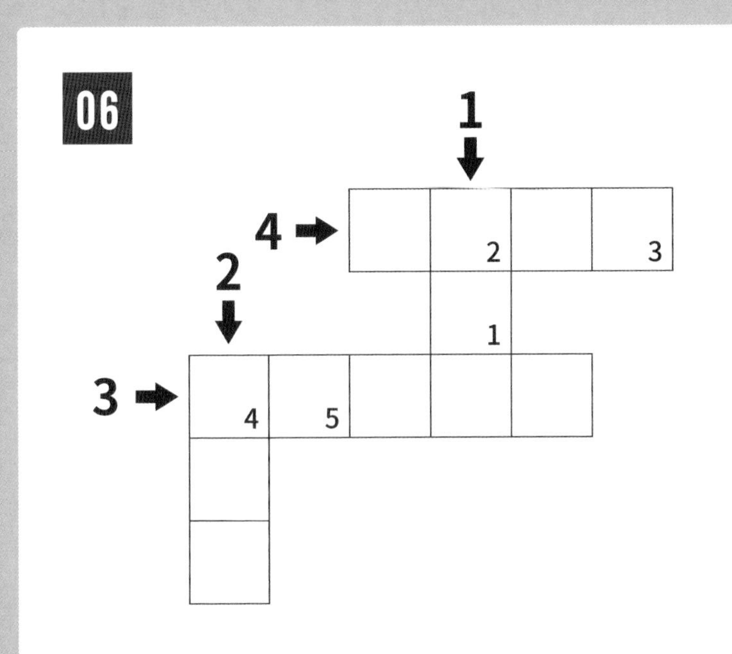

① 体　② 名前　③ 方位　④ 缶

① ② ③ ④

5点

⇒正解　P.156

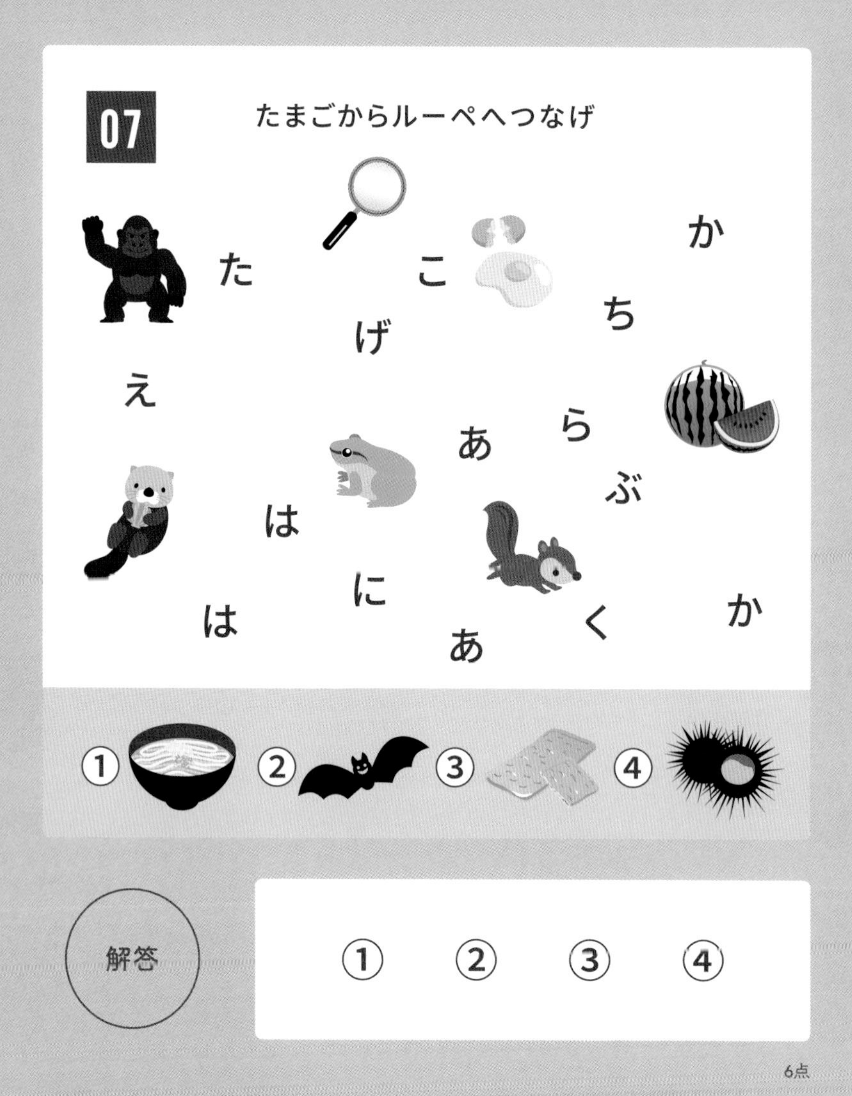

6点

⇒ 正解　P.157

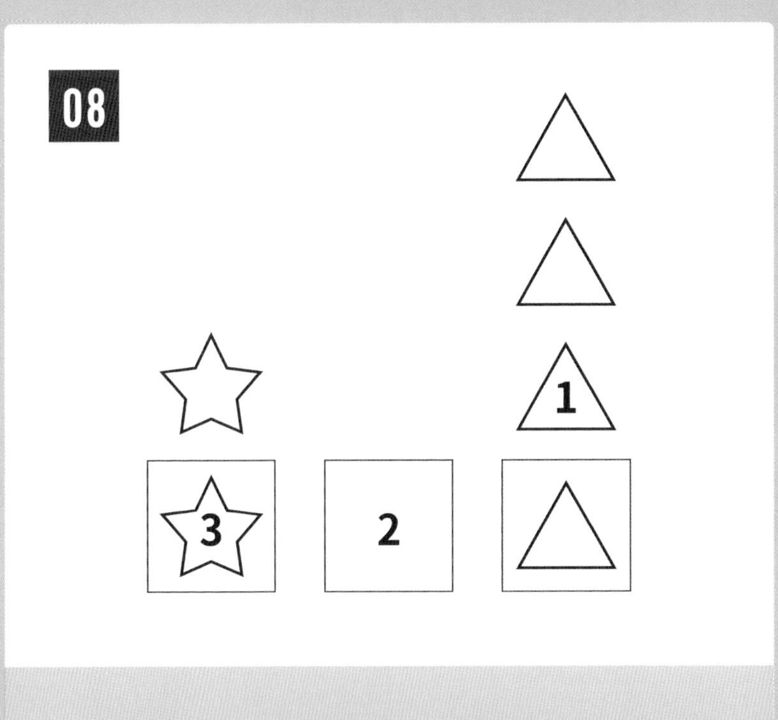

① 駆除 ② 鳥よけ ③ 害虫 ④ いろは

① ② ③ ④

4点

⇒ 正解 P.157

① トラ ② ネズミ ③ ヘビ ④ クジラ

4点

⇒正解 P.158

10

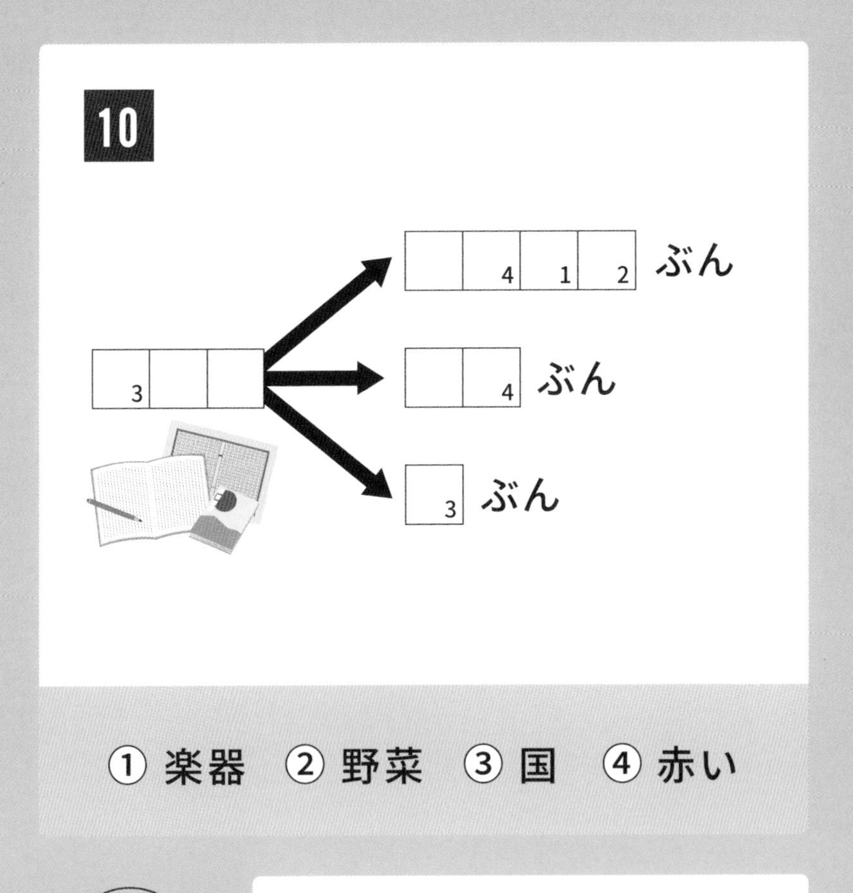

① 楽器　② 野菜　③ 国　④ 赤い

解答

① ② ③ ④

6点

⇒正解　P.158

11

1個前	T	4				
今	E	1		3		
次	T			5		2

①アース ②レベル ③グラス ④ハネ

解答

① ② ③ ④

5点

⇒正解 P.159

12

2個前	し			1
1個前	へ	2		2
今	れ	2	1	

答えは 1 2 ん

①署名 ②勝ち ③飲み物 ④ライン

解答 ① ② ③ ④

5点

⇒正解 P.159

13

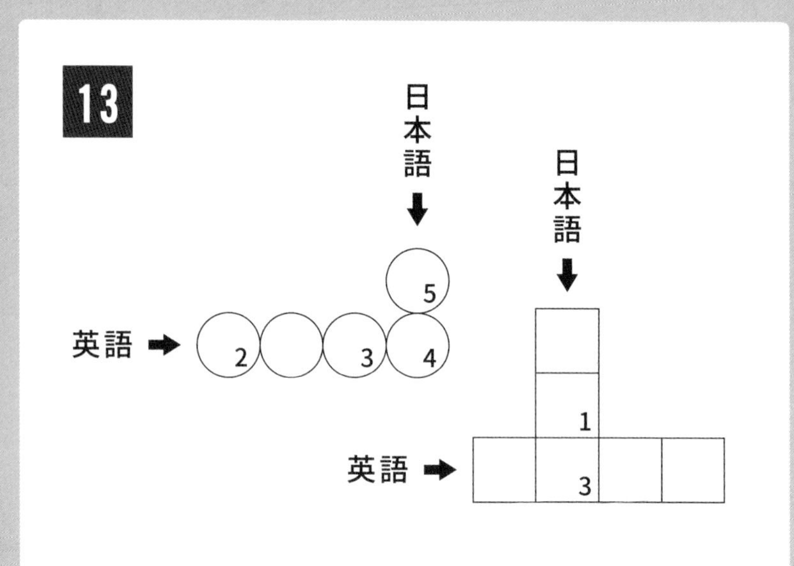

① おもちゃ ② 英語 ③ 冬 ④ 食べ物

解答

① ② ③ ④

4点

⇒ 正解 P.160

世界一"謎がある"テーマパーク　東京ミステリーサーカス

TOKYO MYSTERY CIRCUS

リアル脱出ゲームをはじめ、さまざまなタイプの謎解き体験が常時10種類以上遊べる！

営業日・営業時間
平日 11:30～22:00土日祝 9:30～22:00 ※不定休
https://mysterycircus.jp/
※営業時間・ゲーム・イベントの情報は2019年11月25日時点の情報です。

リアル脱出ゲーム

ある刑務所からの脱出
たった10分で脱獄せよ

制限時間：10分、参加人数：最大2人
開催中

刑務所脱出 

© SCRAP

リアル潜入ゲーム×ルパン三世

ノワール美術館 潜入作戦
ルパンとともに、幻のダイヤを盗み出せ！

制限時間：40分、参加人数：最大3人
開催中

ルパン潜入 

©モンキー・パンチ／TMS・NTV

リアル脱出ゲーム×オールナイトニッポン

オールナイトニッポン最大の危機からの脱出
ラジオブースに仕掛けられた爆弾を解除せよ！

制限時間：15分、参加人数：最大4人
開催中

オールナイトニッポン脱出 

©SCRAP

Projection Table Game vol.2

ある魔法図書館の奇妙な図鑑
最新技術を駆使したキラキラの魔法使い休験！

制限時間：60分、参加人数：最大6人
開催中

魔法図書館 

©SCRAP

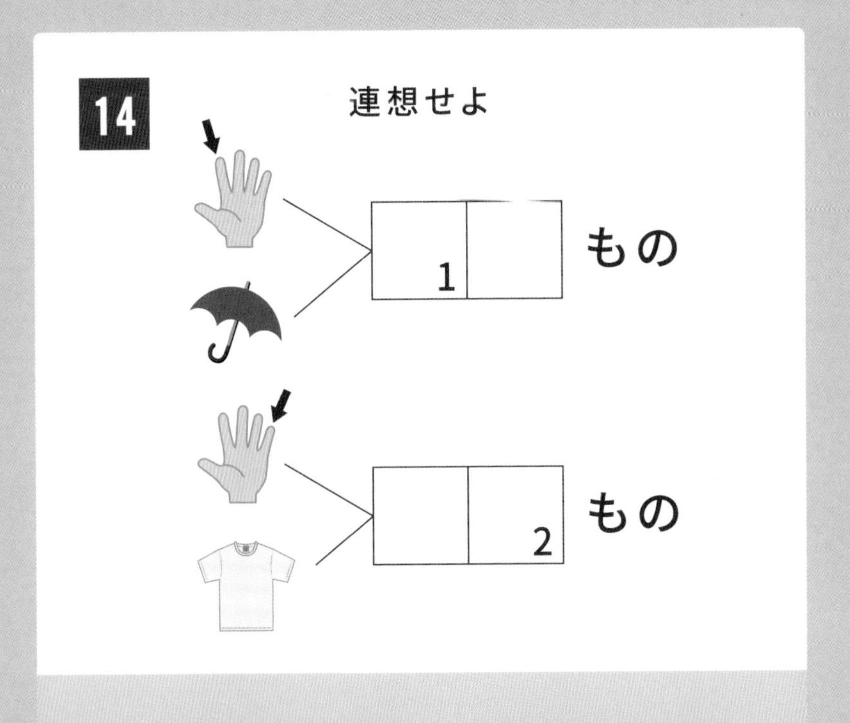

① 動物　② 酒　③ 果物　④ 汗

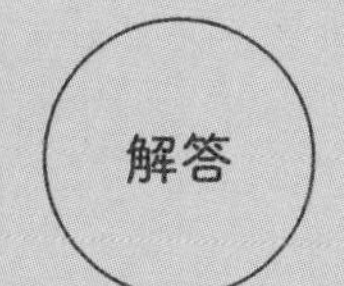

①　②　③　④

5点

⇒ 正解　P.160

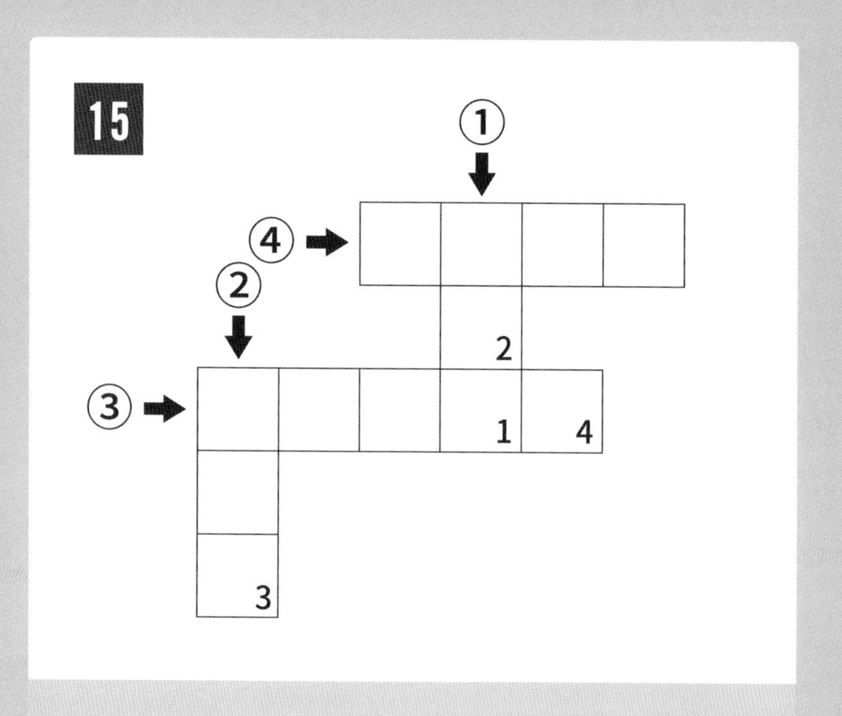

①一位　②足場　③赤ワイン　④愛妻

5点

⇒正解　P.161

16

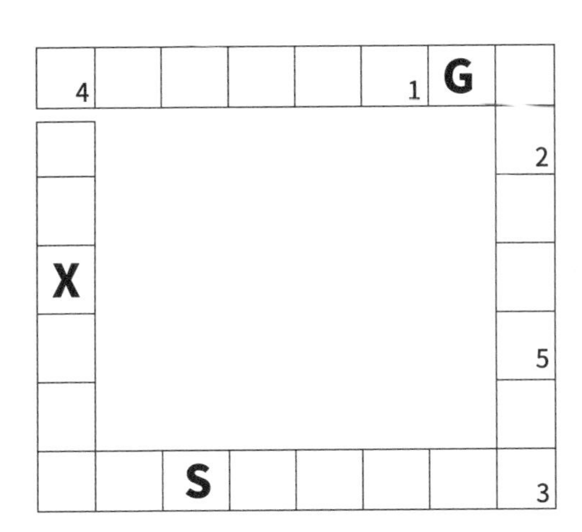

① 終局 ② くっつく ③ 開始 ④ 離れ

解答

① ② ③ ④

5点

⇒ 正解 P.161

17

4

			3	4	→				2	→	1			

① 自由　② 束縛　③ 天使　④ 天気

5点

→正解　P.162

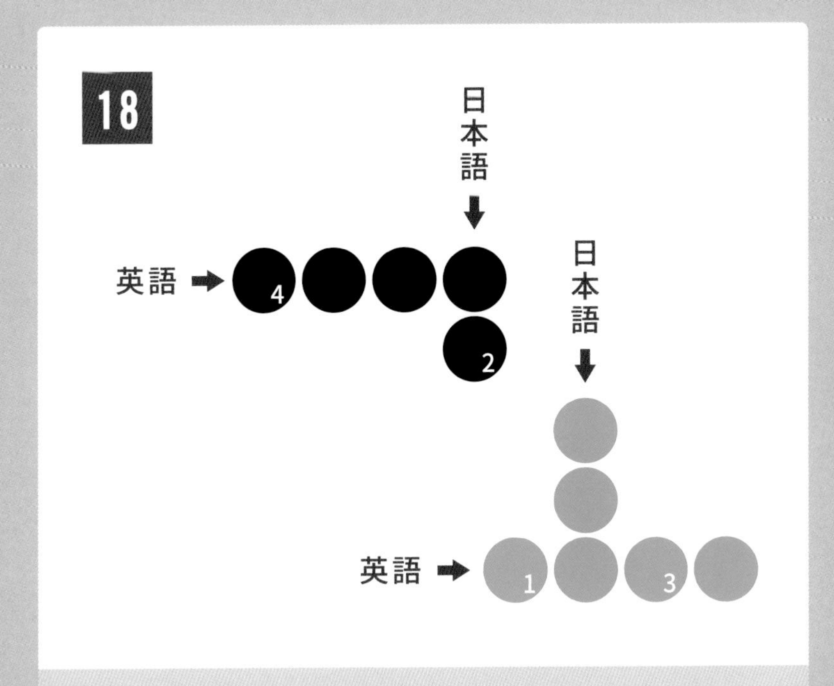

① 学問　② 地名　③ 手袋　④ 硬貨

解答　① ② ③ ④

4点

⇒ 正解　P.162

19

きつねうどん ➡ こうもり

つきみうどん ➡ ？

①かえる　②出発　③のり　④日付

解答

① ② ③ ④

6点

⇒正解　P.163

20

検定お疲れ様でした。
最後の問題です。
この検定において
「なくても満点が取れるもの」
すべての後ろの文字を順に読め。

解答

8点

⇒正解 P.163

?

NAZOKEN 2020-05

謎検模試

05

? 謎検模試 05

（書籍オリジナル問題）

- 問題数　20問
- 制限時間　20分
- 配点　1問4〜8点（100点満点）

! 注意事項

1. 問題数は20問、制限時間は20分です。
すべて書籍オリジナル問題です。

2. 解答の文字の種別（漢字、ひらがな、カタカナなど）は、
特に指定がない限り、いずれも正解とみなします。
選択問題は、正しいと思う番号に◯をつけてください。

3. 巻末の「謎検模試05 解答用紙」を切り離し、答えを記入、
終了後に採点することをおすすめします。

4. 解答・解説はP164から掲載しています。

5. 難易度によって1問4〜8点の傾斜配点方法を採用しており、
満点は100点です。各問題の点数は問題ページの右下に記し
ています。

01

ひと ➡ ひ[　]、ふたり

[　] ➡ いちわ、にわ

いぬ ➡ いっ[゜]、に[　]

[　][　] ＝？

解答

4点

⇒ 正解　P.165

02

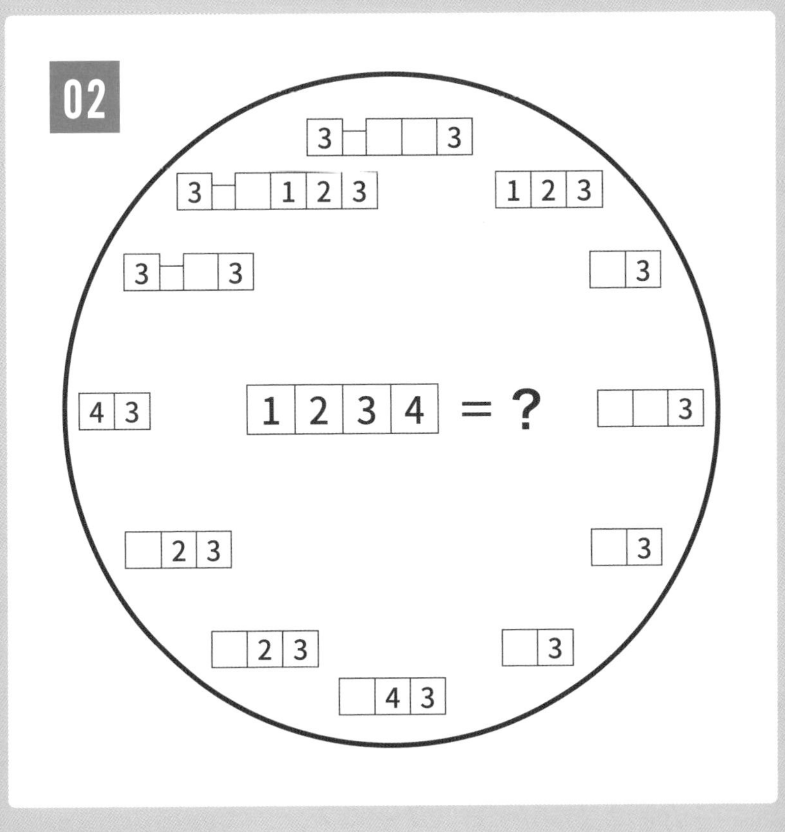

解答

4点

⇒ 正解 P.165

03

小旗 ➡ ➡ 私物 ➡ ？

4点

⇒ 正解　P.166

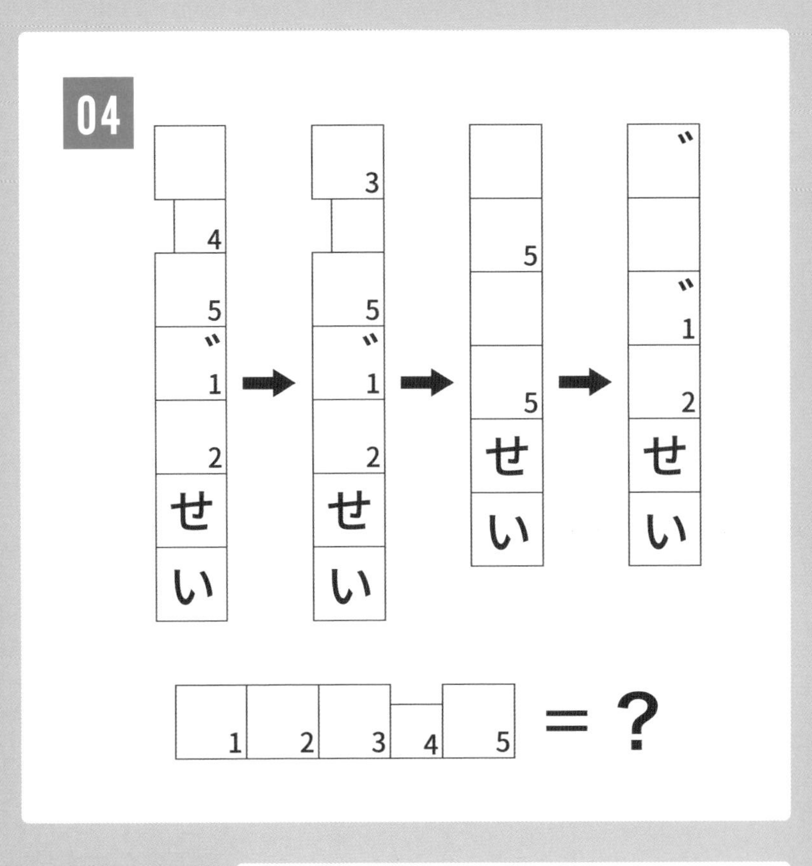

解答

5点

⇒ 正解 P.166

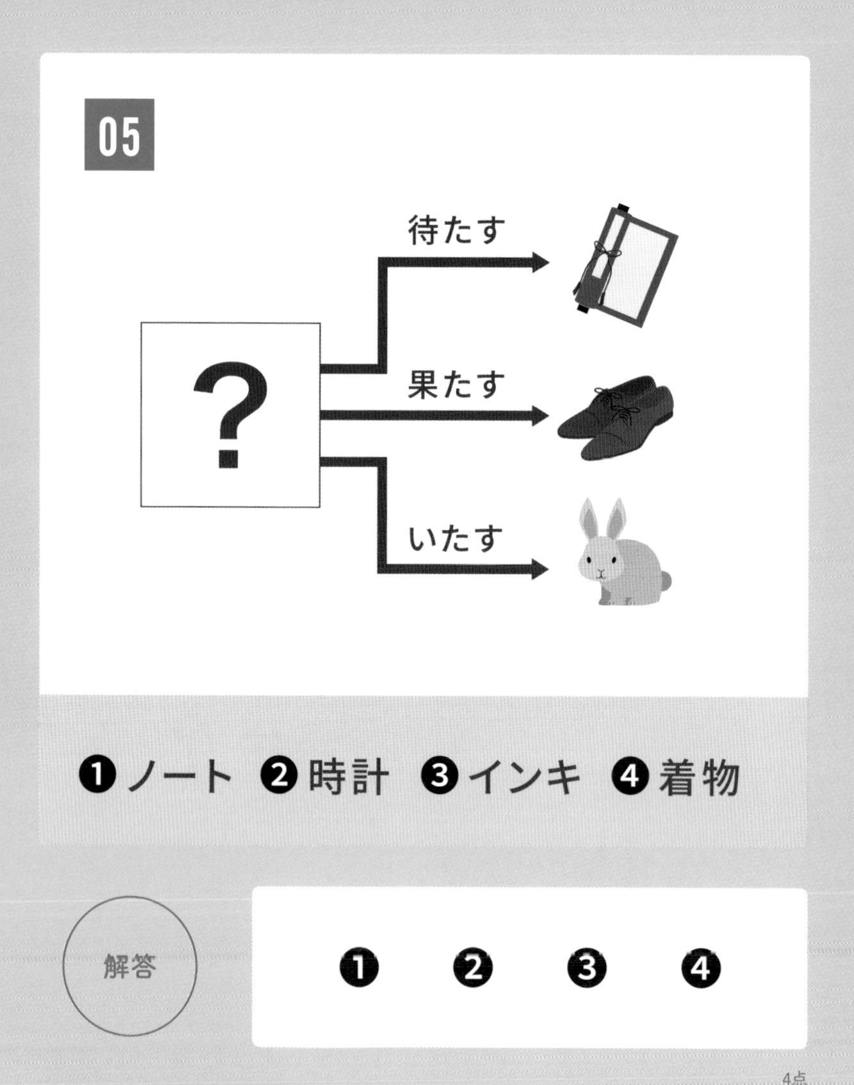

解答

❶ ❷ ❸ ❹

4点

→正解 P.167

06

左折しないようにして
最短経路を通り迷路を抜けるとき、
2回通ったマスを読め

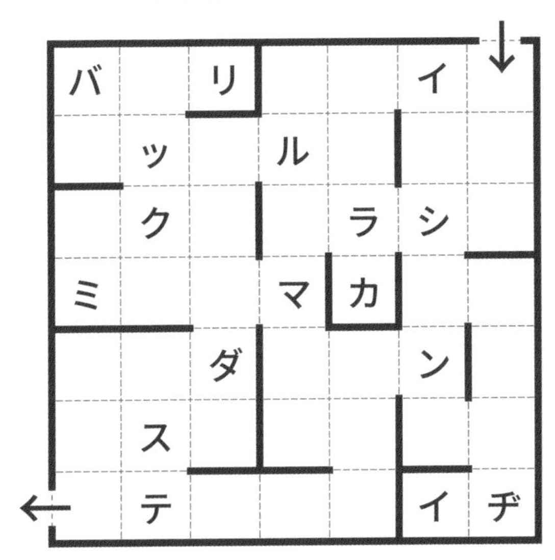

解答

6点

⇒正解 P.167

07

4	2	7
6	1	9
3	5	8

4795＋83478＋69＝フロー

62795＋43874＋4783＝？

❶後ろ　❷孤島　❸クロコ　❹ロック

❶　❷　❸　❹

4点

⇒正解　P.168

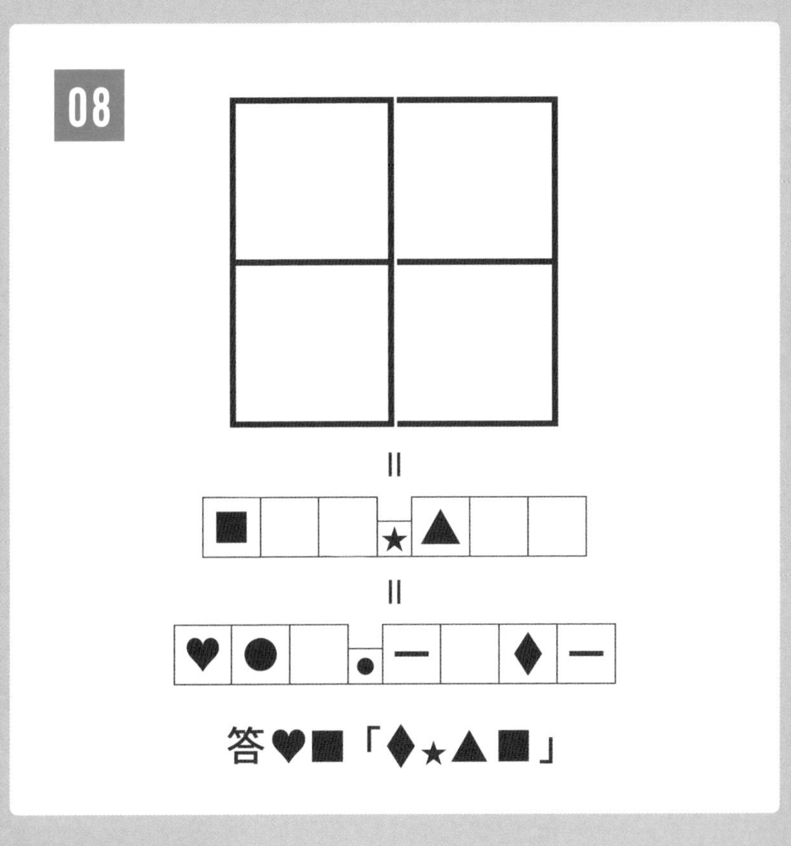

解答

5点

⇒ 正解 P.168

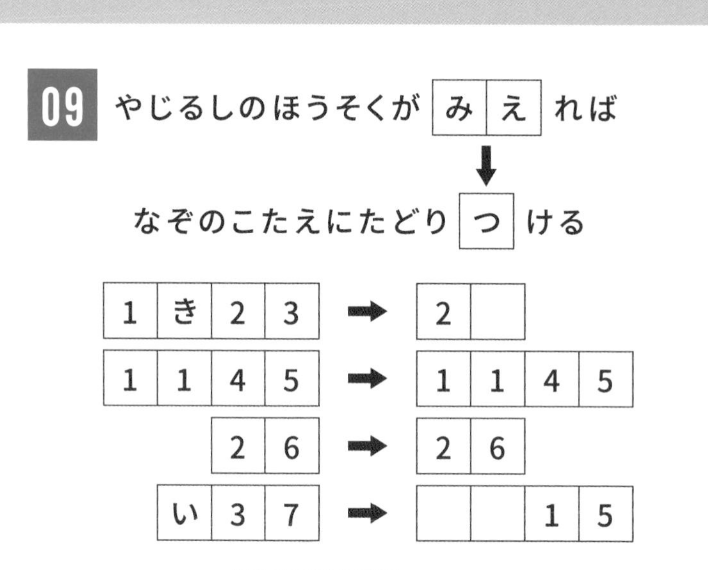

❶ 鏡　❷ 手柄　❸ 医学　❹ 気軽

解答

5点

→正解　P.169

10

土地 ➡ 鉄

浅瀬 ➡ カシス

二日 ➡ ぬし

？ ➡ 浮く瀬

答えは3文字

解答

5点

⇒ 正解　P.169

11

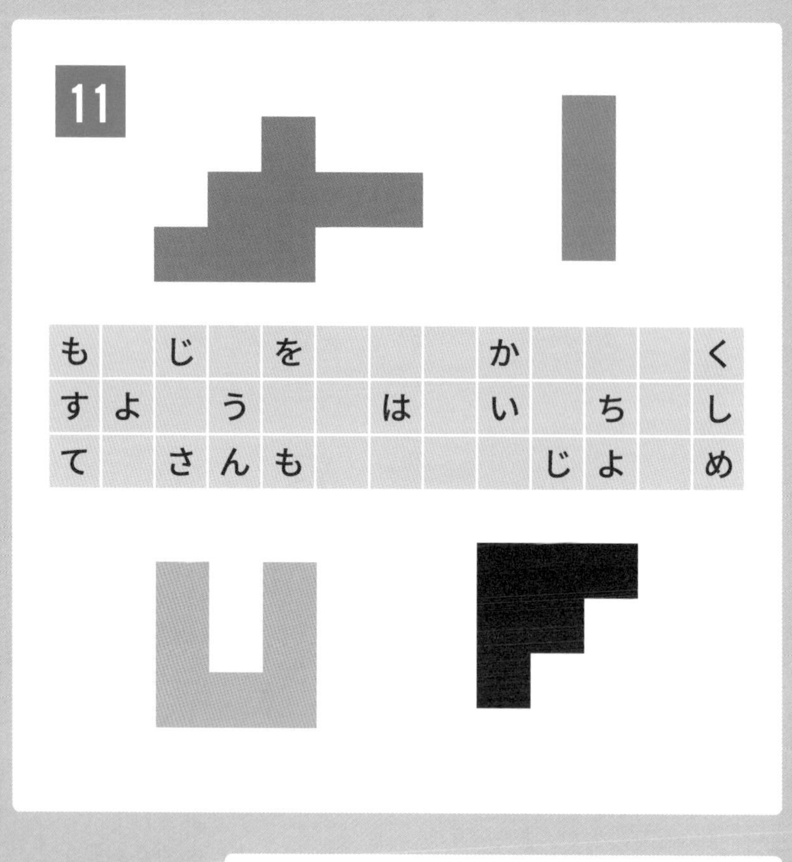

解答

5点

⇒ 正解 P.170

12

解答

5点

⇒ 正解 P.170

13

12 4 は言う

5 は立つ

7 12 は上手い

4 6 ＝？

解答

5点

⇒ 正解　P.171

14

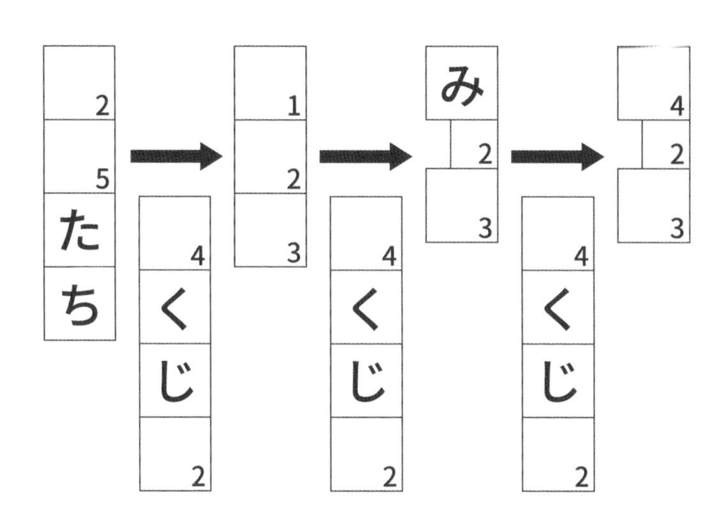

解答

5点

⇒ 正解 P.171

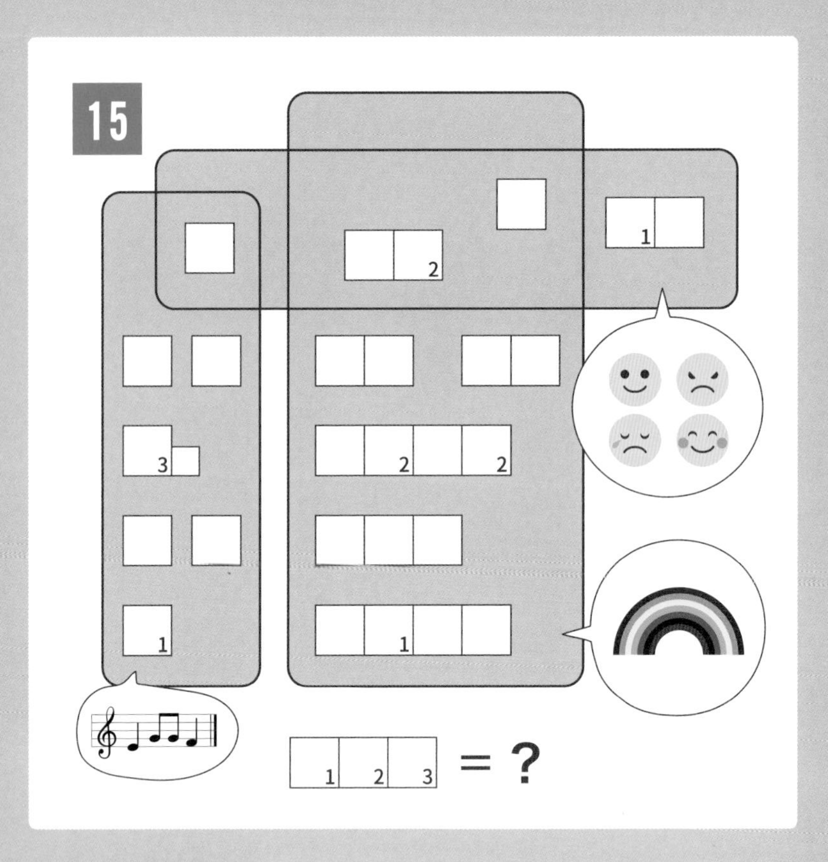

解答

5点

⇒ 正解　P.172

16

にごりをとりのぞいたら
ほうそくはすぐにわかる

11 ➡ 獅子

16 ➡ 姑息

06 ➡ ？

解答

6点

⇒ 正解　P.172

17

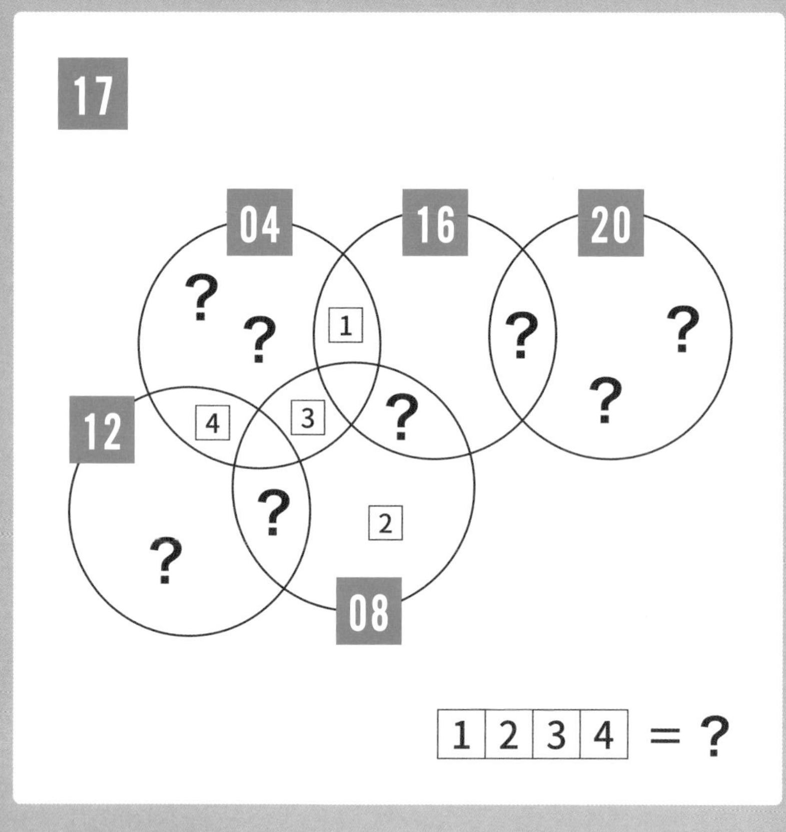

5点

⇒ 正解　P.173

18

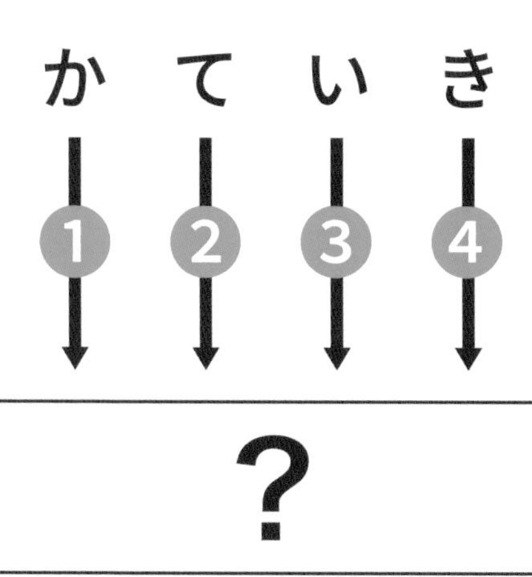

解答

5点

⇒ 正解 P.173

19

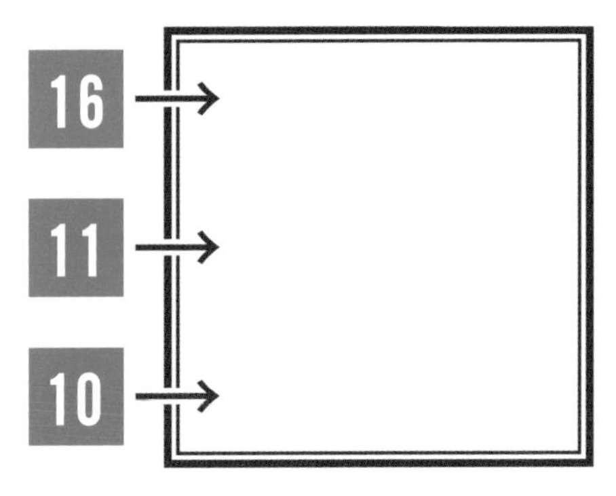

解答

5点

⇒ 正解　P.174

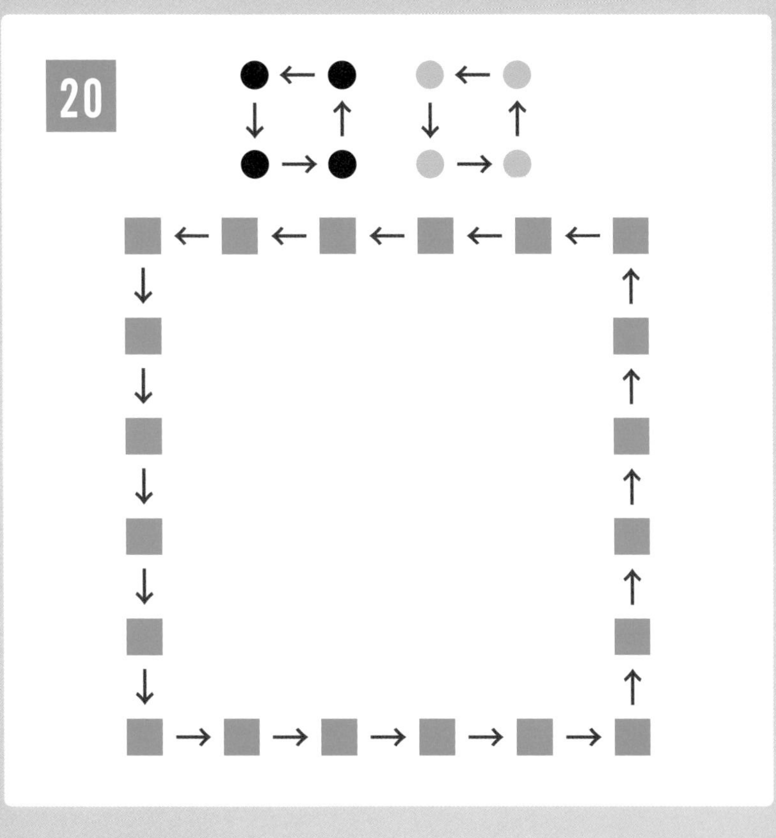

解答

8点

⇒ 正解 P.174

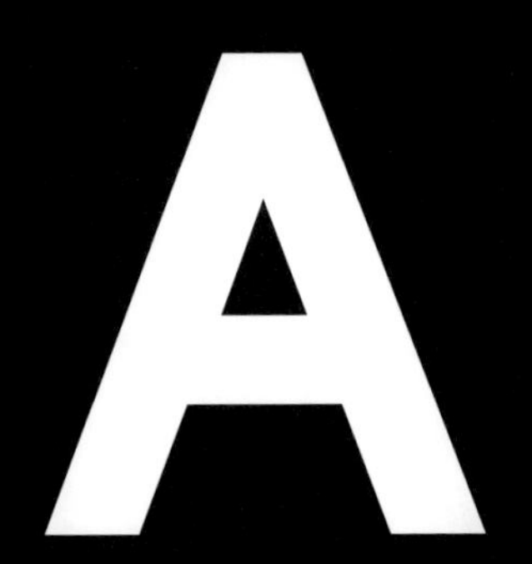

ANSWER

解答・解説編

?

NAZOKEN 2020-01

謎検模試 01

解答・解説

配点は各問題に記しています（100点満点）。
点数に応じて、下記の等級を判定します。

等級	点数	等級	点数
1級	100点	4級	50~59点
準1級	90~96点	5級	40~49点
2級	80~89点	6級	30~39点
準2級	70~79点	7級	20~29点
3級	60~69点	8級	0~19点

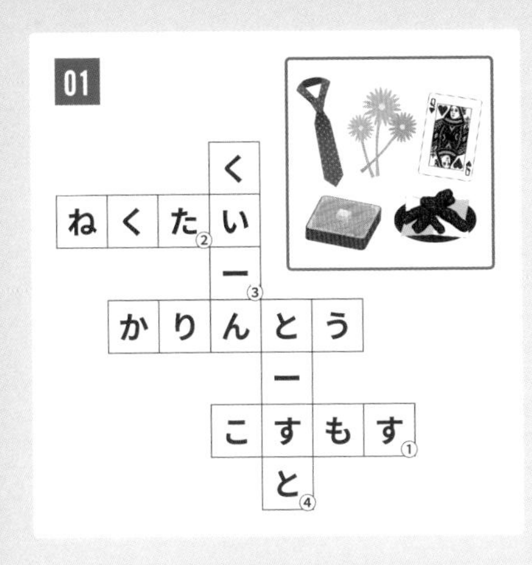

分析力

イラストはそれぞれ「ネクタイ」「コスモス」「トースト」「かりんとう」「クイーン」を表しています。これらをスケルトンパズルの要領で入れると、答えは「スタート」。

正解　スタート

5点

02

ひらめき力

イラストは「右」と「左」を表しています。右を「R(right)」、左を「L(left)」に変換すると、答えは「RULE」。

正解　RULE

5点

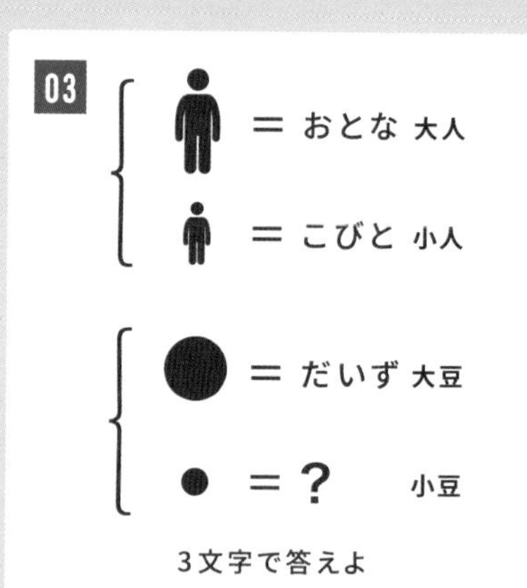

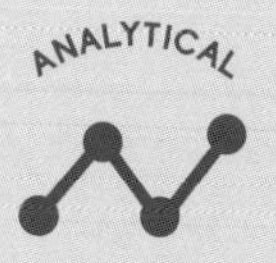

分析力

それぞれ「人」と「豆」に大小がついた言葉なので、「大人」「小人」「大豆」「小豆」となり、答えは「あずき」。

正解 **あずき**

4点

04

きしゃ 記者 → しきしゃ 指揮者

いかく 威嚇 → かいかく 改革

いせき 遺跡 → せいせき ?

REASONING

推理力

左の単語の真ん中の文字を、先頭につけると右の単語になります。「いせき」の真ん中の文字「せ」を先頭につけて、答えは「せいせき」。

正解 **せいせき**

4点

05 すべてのマスを一度だけ通って
SからGまで進め
ただし赤マスでは曲がれない

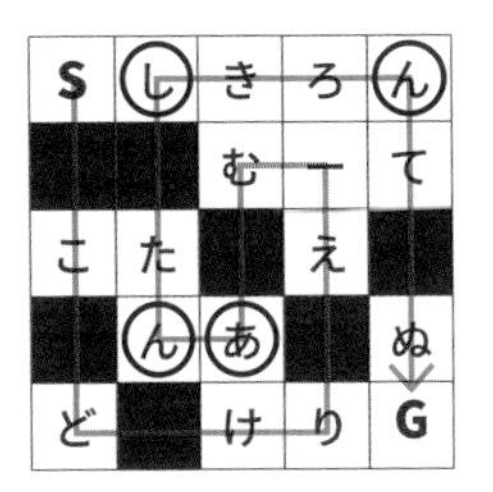

右折した場所を読め

持久力

指示文の通りに進むと、左の図のようになります。右折した場所の文字を読むと、答えは「あんしん」。

正解 **あんしん**

5点

06 ？に入る数字を答えよ

31
30
29

1月 2月 3月 4月 5月 6月 7月 8月 9月 10月 11月 12月

INSPIRATION

ひらめき力

棒線グラフは12ヶ月の日数を表しています。2月はうるう年があるので、29日の色が薄くなっています。よって？に入る数字は「30」。

正解 **30**

5点

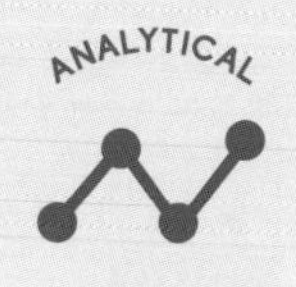

分析力

指示通りに折ったときに、「M」「A」「P」に重なる文字を順に読みます。よって答えは「ゆうひ」。

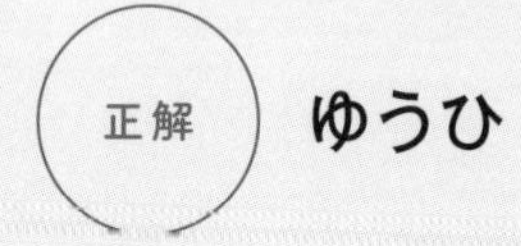

ゆうひ

4点

SAAC —石→ 「S」to「NE」 —俳優→ 「AC」to「R」 NEAR

CADOCS —医者→ 「DOC」to「R」 —物語→ 「S」to「RY」 CARRY

アルファベットで答えよ

REASONING

推理力

石は「STONE」、俳優は「ACTOR」と変換すれば、「TO」の前後で文字を変換するルールだとわかります。医者は「DOCTOR」、物語は「STORY」なので、「DOC」to「R」、「S」to「RY」と変換すると、答えは「CHARRY」。

正解 CARRY

6点

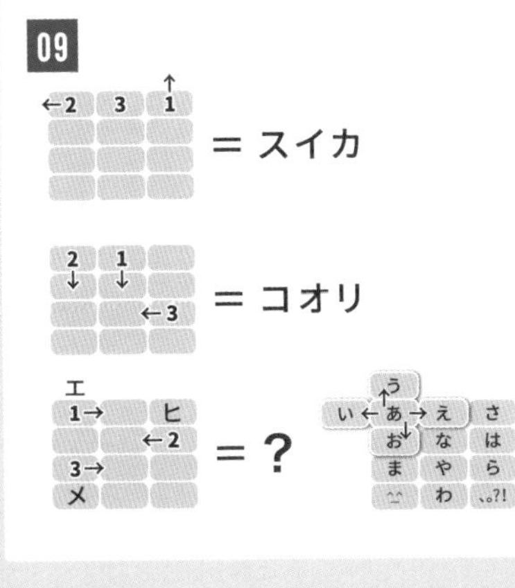

分析力

12個のマスはスマートフォンのフリック入力を表しています。フリックする向きと文字の関係は「スイカ」「コオリ」の例から、矢印なしが「あ」の段、左の矢印が「い」の段、上の矢印が「う」の段、下の矢印が「お」の段とわかるので、残る右の矢印が「え」の段とわかります。よって答えは「エヒメ」。

正解 エヒメ

5点

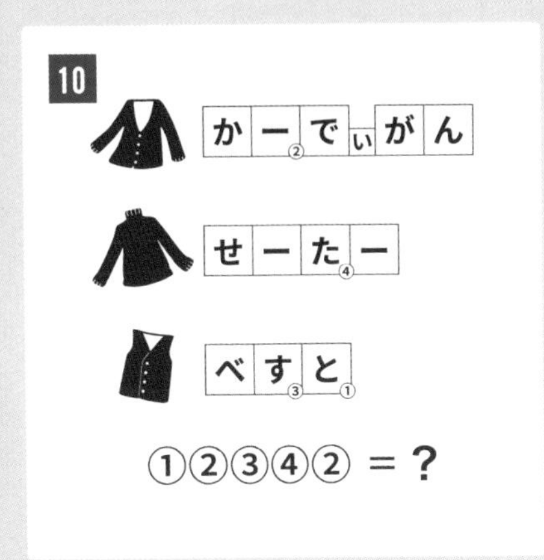

ひらめき力

イラストはそれぞれ「カーディガン」「セーター」「ベスト」を表しています。文字を拾うと、答えは「トースター」。

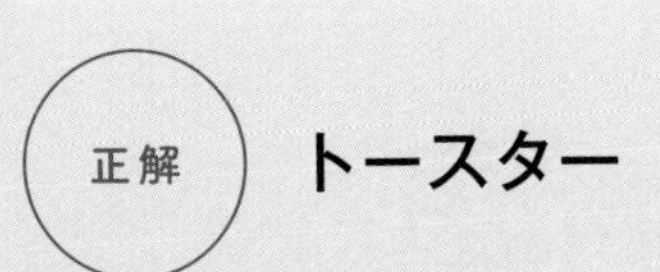

正解 トースター

4点

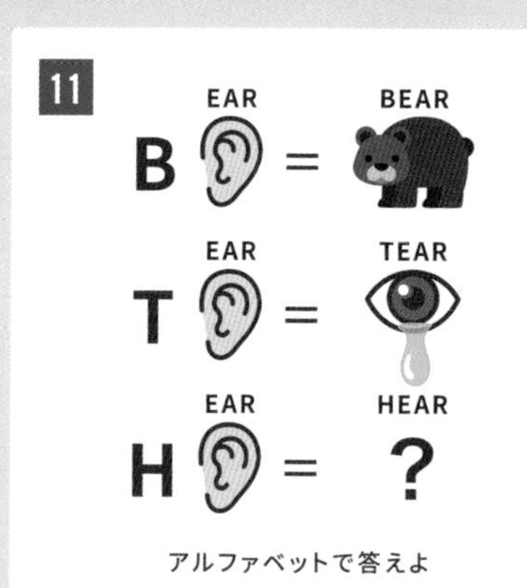

ひらめき力

耳(EAR)の前にそれぞれアルファベットをつけると「BEAR(くま)」「TEAR(涙)」になります。「EAR」の前に「H」をつけるので、答えは「HEAR」。

正解 HEAR

4点

12 足すと100になるように数字同士をつなげ
ただし、線同士が交差してはいけない

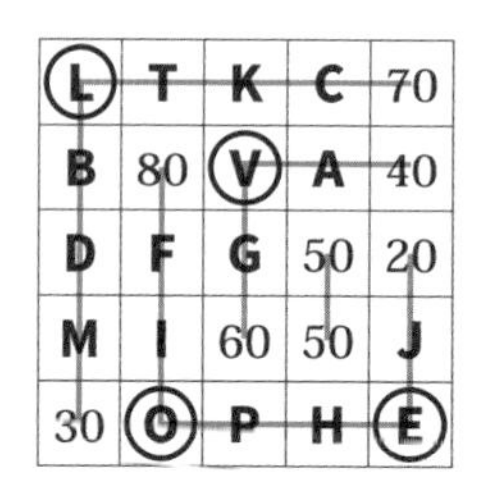

曲がった場所を左から順に読め

持久力

指示文の通りに数字同士をつなげると、左の図のようになります。曲がった場所を左から順に読むと、答えは「LOVE」。

正解 LOVE

5点

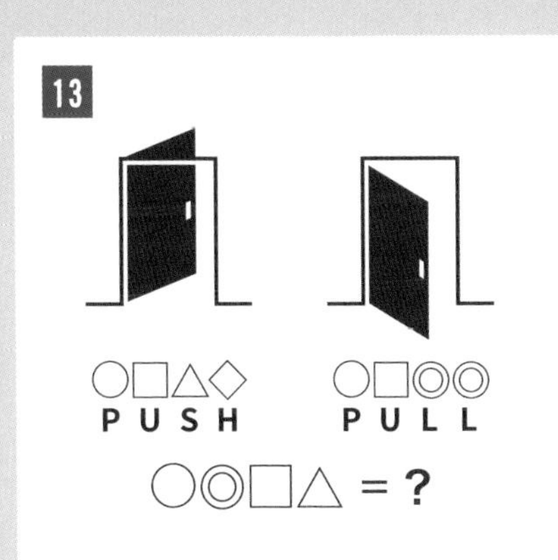

イラストは「PUSH（押す）」、「PULL（引く）」を表しています。同じ記号の文字を拾うと、答えは「PLUS」。

正解　PLUS

6点

14

騎士（きし） ➡ 季語（きご） ➡ 記録（きろく）

古参（こさん） ➡ 腰（こし） ➡ 古語（こご）

蟹（かに） ➡ ？（かさん） ➡ 歌詞（かし）

REASONING

推理力

それぞれの単語には数字が隠れています。矢印で進むとその数字の部分がひとつずつ大きくなっているので、答えは「かさん」。

正解　かさん

5点

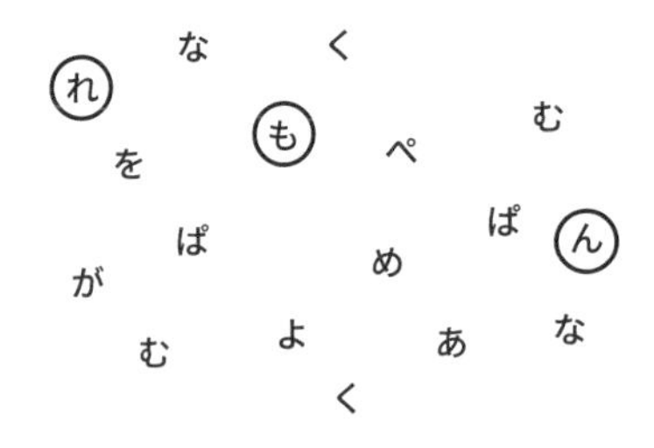

ATTENTION
注意力

問題文の「ぺあいがいをよめ」を含めて、ペアにならない文字を読みます。残った文字「れ」「も」「ん」から導きだされる答えは「れもん」。

正解 **れもん**

4点

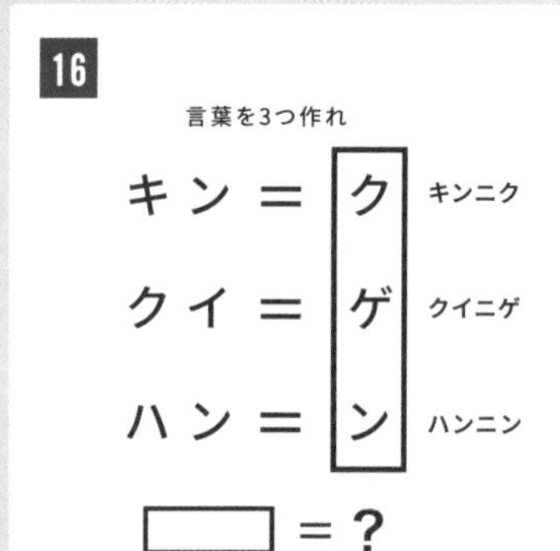

「＝」をカタカナの「ニ」と読んで言葉を作ります。それぞれの言葉の四角に囲まれた部分を読むと、答えは「クゲン」。

正解 **クゲン**

4点

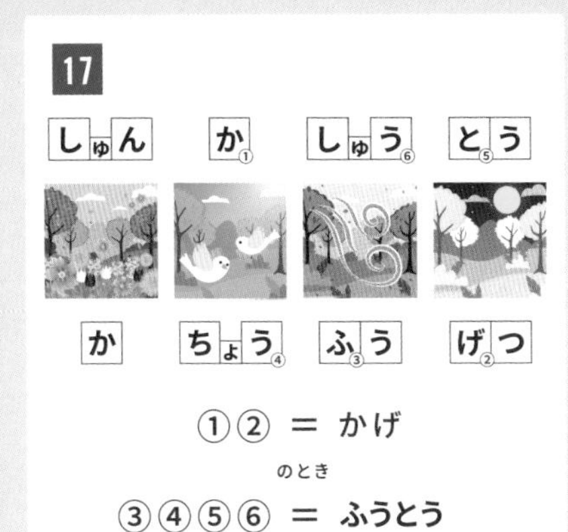

注意力

イラストは「春夏秋冬」と「花鳥風月」を同時に表しています。文字を拾うと、答えは「ふうとう」。

正解 **ふうとう**

5点

18

右 ➡ 左

すべてのマスを一度だけ通って
SからGまで進め
ただし赤マスでは曲がれない

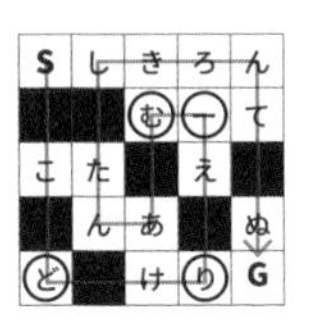

左折した場所を読め

注意力

緑の「右」は05の問題に出ていました。05の問題の「右」を「左」にして解き直すと、答えは「どりーむ」。

正解 **どりーむ**

6点

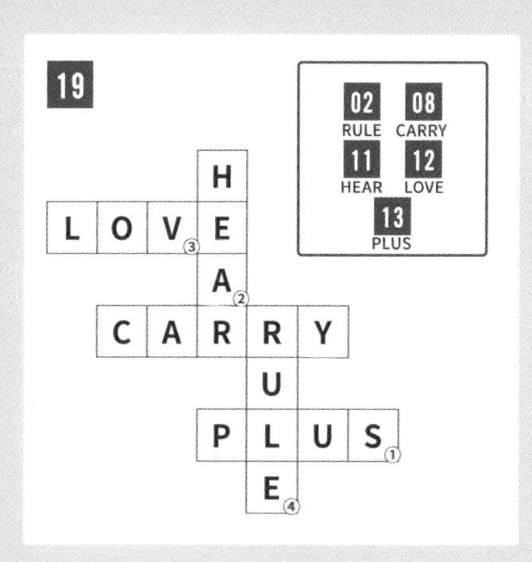

持久力

枠が01のスケルトンパズルのキーワードの枠と一致しています。それぞれの問題番号の答えで01のスケルトンパズルを解き直すと、答えは「SAVE」。

正解 SAVE

6点

20

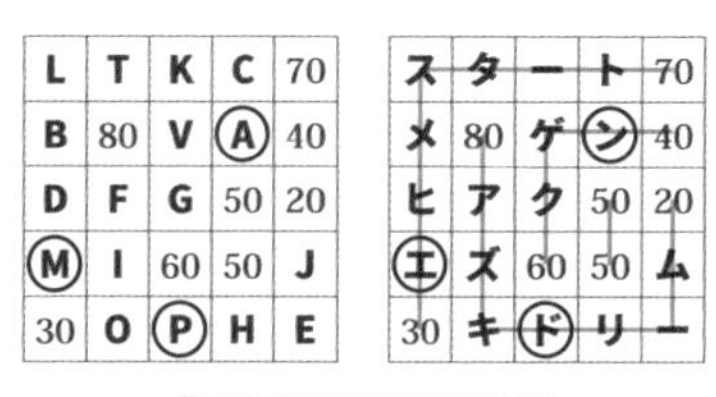

持久力

07の問題と枠が同じなので、指示文が「MAPに重なる文字を読め」であるとわかります。また、数字のフォントが12の線繋ぎの問題と一致しています。それぞれの問題の答えをマスに当てはめたとき、「M」「A」「P」のマスに重なる文字を読むと、答えは「エンド」。

正解 エンド

8点

?

NAZOKEN 2020-02

謎検模試 02

解答・解説

配点は各問題に記しています（100点満点）。
点数に応じて、下記の等級を判定します。

1級	100点	4級	50~59点
準1級	90~96点	5級	40~49点
2級	80~89点	6級	30~39点
準2級	70~79点	7級	20~29点
3級	60~69点	8級	0~19点

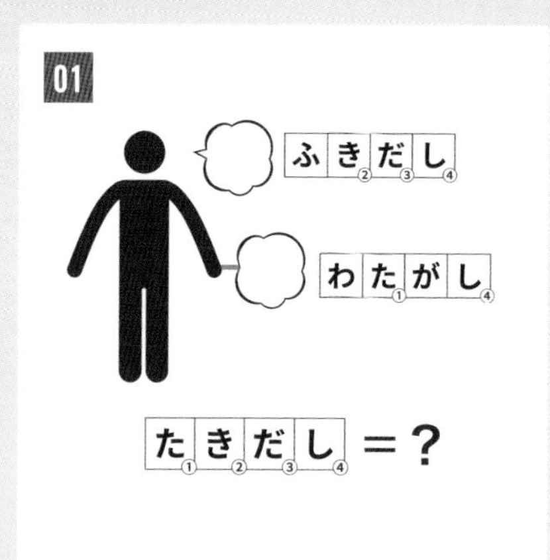

上のもくもくは「ふきだし」、下のもくもくは「わたがし」を表しています。よって答えは「たきだし」。

正解 たきだし

4点

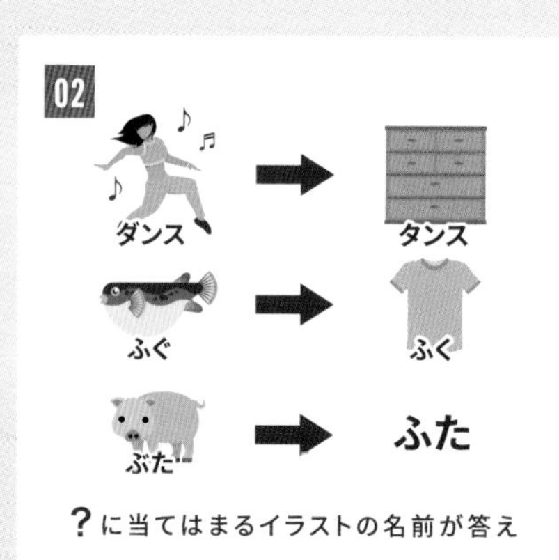

左のイラストの名前から濁点を取り除くと、右のイラストの名前になります。「ぶた」から濁点を取り除き、答えは「ふた」。

正解 ふた

4点

03

ナ　　　ン　　　　イ
…チハナ●クロゴ▲ヨンサニチ■
←

●■▲ ＝ ナイン

REASONING

推理力

右から読むと「イチニサンヨン……」と数列の読みになっています。記号の箇所の文字を拾うと、答えは「ナイン」。

正解　ナイン

5点

04　すべてのマスを1度ずつ通り、
スタートからゴールまで進め。
スタートのマスを1マス目として、
3の倍数番目に通ったマスの文字を読め。

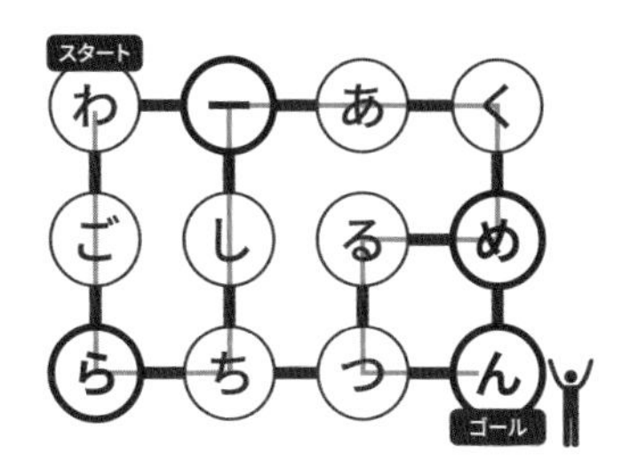

ENDURANCE

持久力

指示文の通りに進むと、左の図のようになります。3の倍数番目に通ったマスの文字を読むと答えは「らーめん」。

正解　らーめん

5点

05

へいせい しょうわ しょうわ
H4 S4 S1 ➡ イワシ

しょうわ へいせい れいわ
S1 H1 R2 ➡ シヘイ

Sは昭和、Hは平成、Rは令和を表しています。「S=しょうわ」「H=へいせい」「R=れいわ」の数字番目の文字を拾うと、答えは「シヘイ」。

正解 シヘイ

4点

06

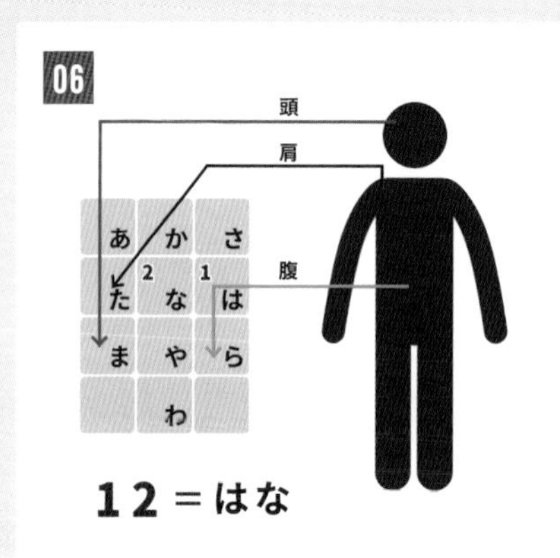

青い矢印は「あたま(頭)」、赤い矢印は「かた(肩)」、緑の矢印は「はら(腹)」であり、12個のマスは携帯電話の文字入力ボタンを表しています。よって答えは「はな」。

正解 はな

6点

07

すべてペアになる

材　閉

閣　果

?

分析力

漢字を分解すると「木」「門」「才」が2個ずつ存在します。1つずつしかない「田」「各」で成り立つ漢字である「略」が答え。

正解　**略**

5点

08

REASONING

推理力

漢字の読みが五十音表の配置に対応しています。文字の角度は、文字を拾う方向を示しています。よって？の箇所に対応する漢字は「闇」。

正解　**闇**

6点

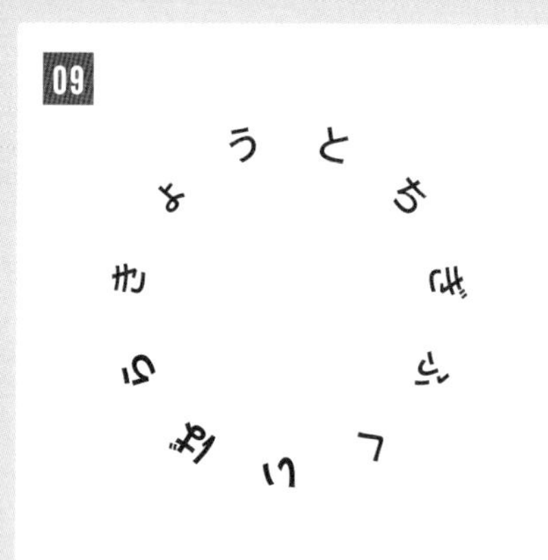

「京都」「栃木」「岐阜」が1文字ずつ被ってしりとりのように並んでいます。同じ法則で文字列が続いていると考えると、当てはまる都道府県名は「福井」と「茨城」になります。よって？の箇所に入る文字は「いばら」。

正解 いばら

4点

矢印に注目します。左のイラストの名前を「―」の位置の文字は読み、「・」の位置の文字は読まないという法則で読むと、答えは「わた」。

正解 わた

5点

？に当てはまるイラストの名前が答え

REASONING

推理力

イラストの名前から、矢印の数字番目の文字が1文字ずつ変化しています。よって答えは「にんじん」。

正解　**にんじん**

5点

12

つながった輪の中を左から順に読め

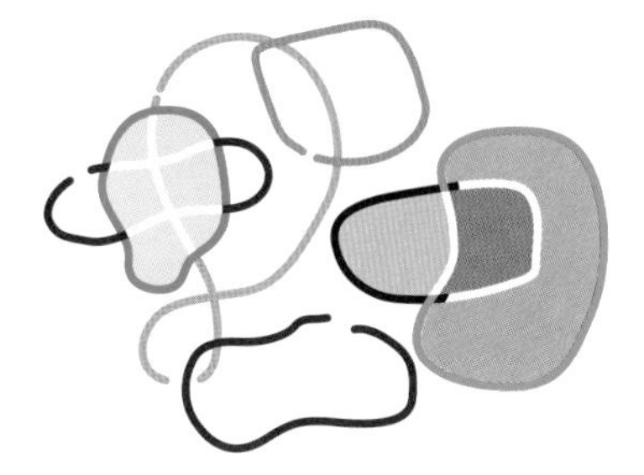

ANALYTICAL

分析力

つながった輪に囲まれた部分のヒモがカタカナの「キ」「ノ」「コ」になっている。左から順に読むと、答えは「キノコ」。

正解　**キノコ**

5点

REASONING
推理力

アルファベットの間に「O」が2つ入ると左のイラストの名前になります。①=「R」、②=「M」となるので、答えは「ROOM」。

正解 ROOM

4点

14

INSPIRATION
ひらめき力

赤枠、青枠にそれぞれ同じ色のハンコを押すと左の図のようになります。よって答えは「マナムスメ」。

正解 マナムスメ

5点

15

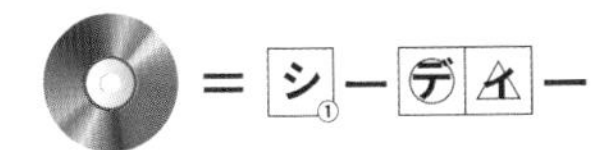

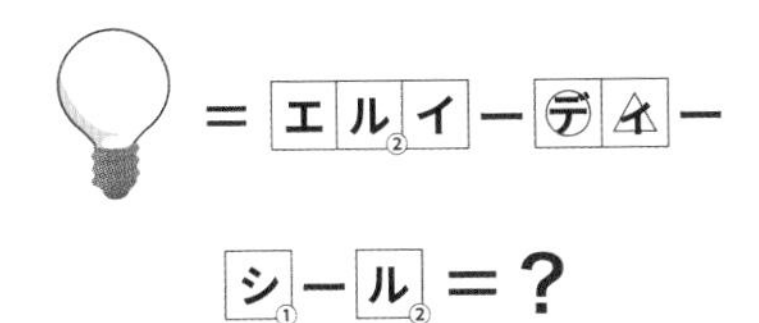

○△には同じ文字が入ると考えると、イラストは「シーディー（CD）」と「エルイーディー（LED）」と表せます。よって答えは「シール」。

正解　**シール**

5点

16

肉 ➡

棚 ➡ ？

？に当てはまるイラストの名前が答え

ANALYTICAL

分析力

右のイラストは左の漢字に２つ存在する漢字を表しています。よって答えは「月」。

正解　**月**

4点

17

にのばいすう
2の倍数 ➡ のいう
さんのばいすう
3の倍数 ➡ のす
よんのばいすう
4の倍数 ➡ ①ば
ごのばいすう
5の倍数 ➡ ②す

①② ＝ばす

REASONING
推理力

左辺をひらがなにしたときの「Xの倍数番目の文字」を拾うと右辺になります。よって①は「ば」、②は「す」で答えは「ばす」。

正解 **ばす**

5点

18

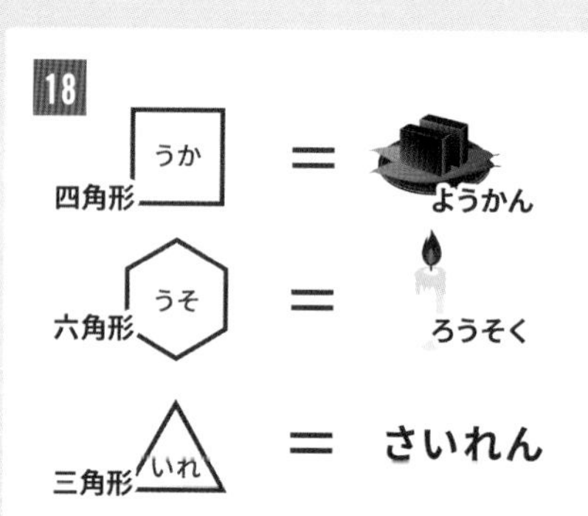

？に当てはまるイラストの名前が答え

ANALYTICAL
分析力

四角形＝「よん」、六角形＝「ろく」、三角形＝「さん」の中にそれぞれ図形の中の2文字を入れると、右のイラストの名前になります。よって答えは「さいれん」。

正解 **さいれん**

6点

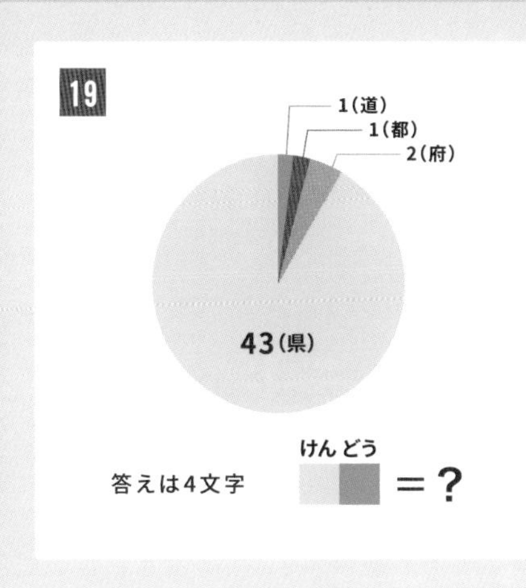

ひらめき力

円グラフは都道府県の数を表しています。43=けん(県)、2=ふ(府)、1=どう(道)、と(都)となり、答えを4文字で導くと「けんどう」となります。

正解 けんどう

5点

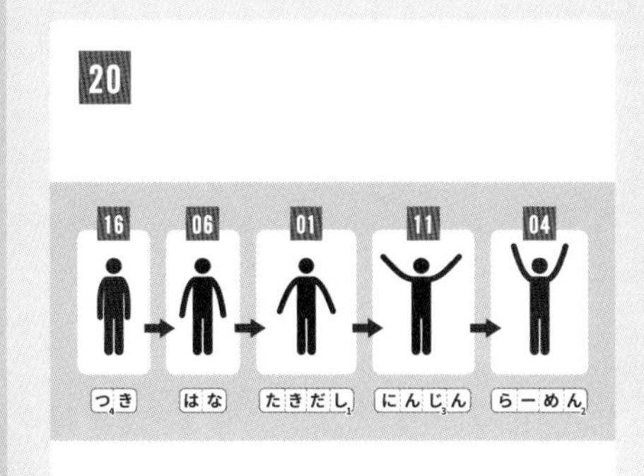

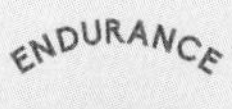

持久力

今までの問題の中に腕の角度が異なる人のイラストが登場しています。コマアニメのように徐々に腕を上げていくように並べ、下の枠にはそれぞれの問題の答えを当てはめて文字を拾うと、答えは「しんじつ」。

正解 しんじつ

8点

?

NAZOKEN 2020-03

謎検模試 03

解答・解説

配点は各問題に記しています（100点満点）。
点数に応じて、下記の等級を判定します。

等級	点数	等級	点数
1級	100点	4級	50~59点
準1級	90~96点	5級	40~49点
2級	80~89点	6級	30~39点
準2級	70~79点	7級	20~29点
3級	60~69点	8級	0~19点

分析力

左上から文字を読んでいくと「二重の文字左から順に答えろ」となるので、二重になっている文字を左から読みます。よって答えは「かじゅえん」。

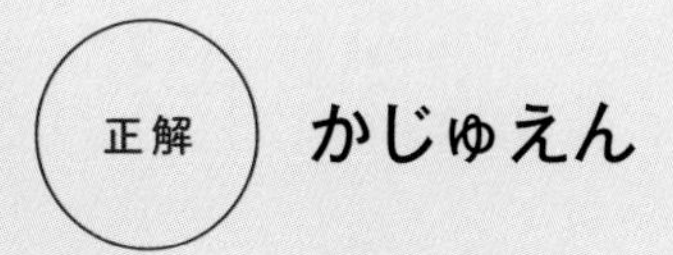

正解 かじゅえん

4点

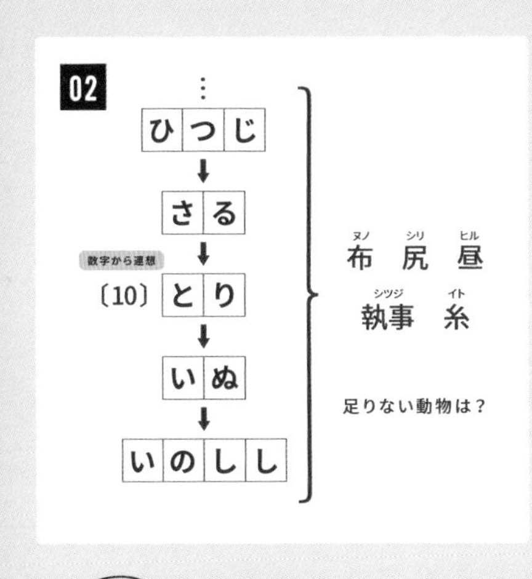

推理力

「10」の数字から連想できる干支の「トリ」を入れ、前後のマスを埋めます。「ヒツジ」「サル」「トリ」「イヌ」「イノシシ」を入れたとき足りなくなる文字を使い、出てくる動物は「サイ」。

正解 サイ

6点

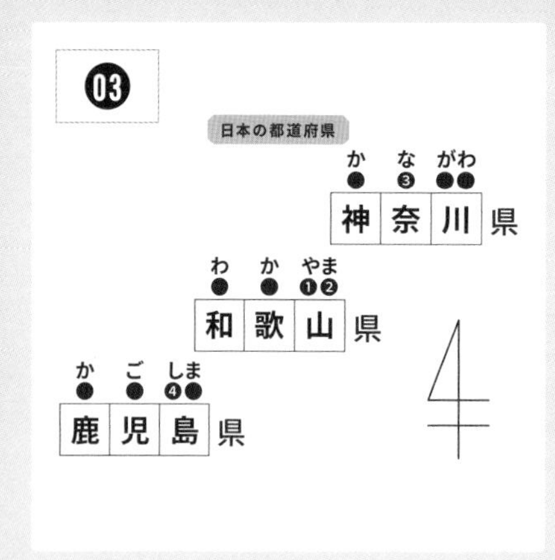

REASONING

推理力

漢字3文字で読みが4文字の県は「鹿児島」「神奈川」「和歌山」です。これらを北から順番にマスに入れ、文字を拾うと答えは「やまなし」。

正解 やまなし

5点

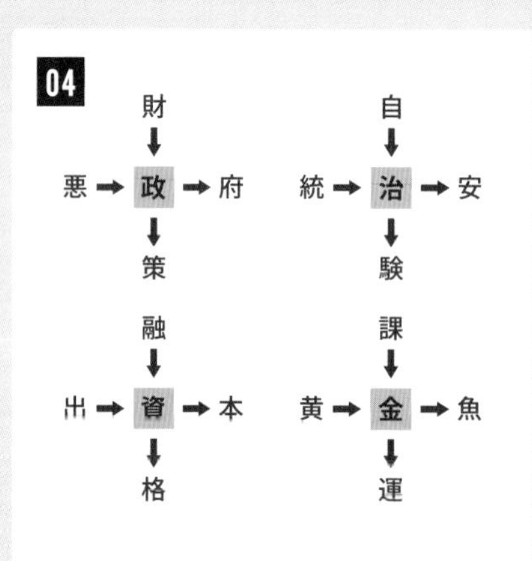

ANALYTICAL

分析力

矢印の向きに読んだとき単語になるよう漢字を埋めると、それぞれ「政」「治」「資」「金」になります。よって答えは「政治資金」。

正解 政治資金

5点

05

文字並び替え

熱がないタコをハグ

↓

物語にしろ

な	が	ぐ	つ	を	は	い	た	ね	こ

持久力

「ねつがないたこをはぐ」を並び替えて物語の名前にすると、答えは「ながぐつをはいたねこ」となります。

正解 ながぐつをはいたねこ

5点

06

整髪 トリートメント
楽器 トランペット
毒物 トリカブト
パン トースト
野菜 トマト

この果物は何？

マスカット ＝？

持久力

同じ記号のマスに同じ文字を入れ、左の単語に対応する言葉を探します。「トリートメント」「トランペット」「トリカブト」「トースター」「トマト」を入れ、文字を拾うと答えは「マスカット」。

正解 マスカット

5点

07

選択問題

お(1)よぐ　こ(4)ぐ　はし(2)る(3)

お(1)し(2)る(3)こ(4) ＝？

①とぶ ②なげる ③たべる ④うたう

イラストの動作はそれぞれ「およぐ」「こぐ」「はしる」となります。文字を拾って出てくる言葉は「おしるこ」なので、答えは③の「たべる」。

正解 ③たべる

4点

08

ハ(1) ＝ 体の一部
ハ(1)ン(2)ド(3) ＝ 体の一部
ハ(1)ン(2)ド(3)ル(4) ＝ 車の一部

このスポーツは何？

ハ(1)ン(2)ド(3)ボール(4)

文字が対応するように言葉を探すと体の一部＝「ハ(歯)」、体の一部＝「ハンド(手)」、車の一部＝「ハンドル」となります。よって答えは「ハンドボール」。

正解 ハンドボール

4点

推理力

左のイラストから右のイラストの名前を引き、残る文字を上から順番に読みます。よって答えは「さくらもち」。

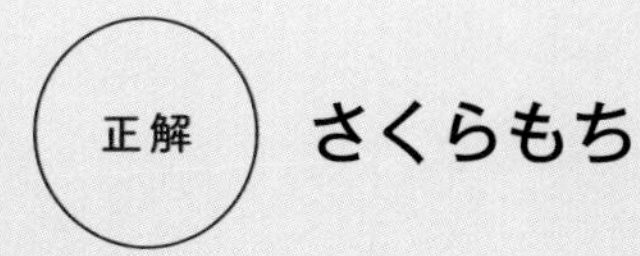

4点

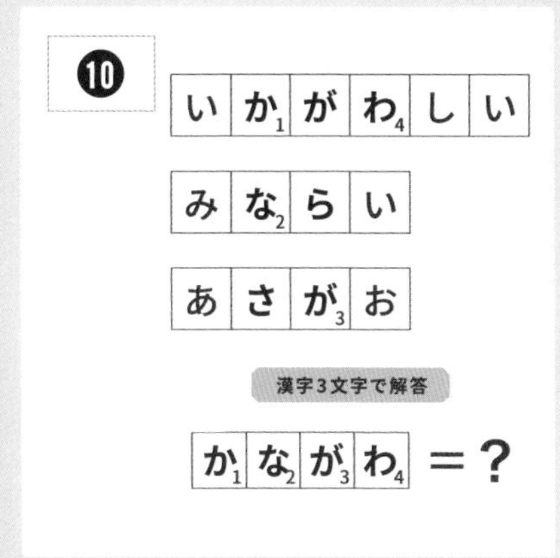

注意力

問題番号が03と同じ日本の国旗になっていることに注目します。空いているマスに県名を入れて言葉を作り文字を拾うと、答えは「神奈川」。

正解　神奈川

6点

REASONING

推理力

動物の漢字にイラストの上の漢字をくっつけると単語になります。それぞれの単語をマスに入れて文字を拾うと、答えは④の「けんだま」。

正解 ④けんだま

4点

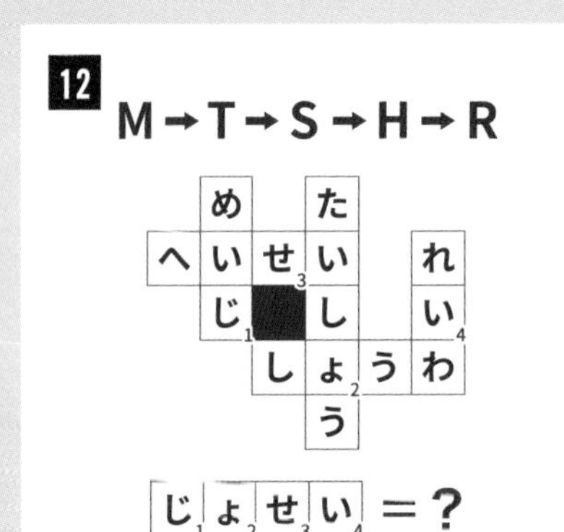

ANALYTICAL

分析力

M＝明治、T＝大正、S＝昭和、H＝平成、R＝令和である。スケルトンパズルに埋めて番号の文字を拾うと、答えは「じょせい」。

正解 じょせい

4点

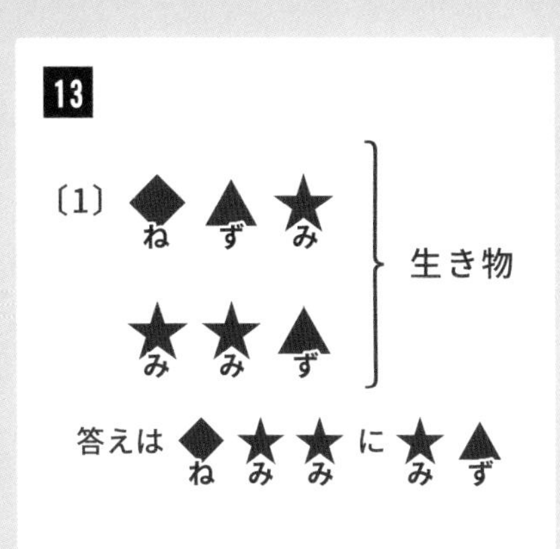

〔1〕のかっこは02と同じです。「〔10〕＝とり」ならば「〔1〕＝ねずみ」となるので、答えは「ねみみにみず」。

正解 ねみみにみず

4点

14

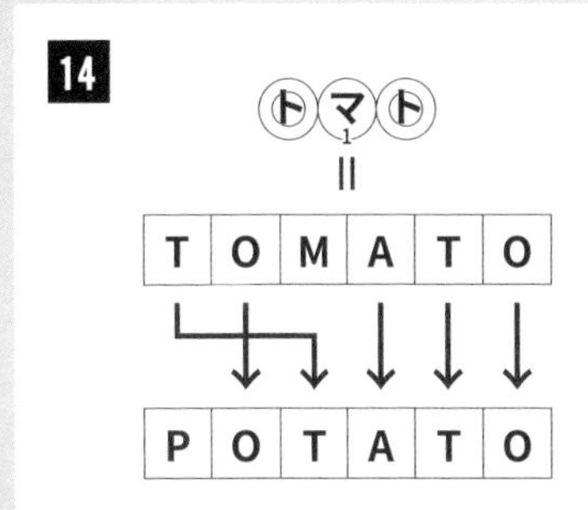

①警察 ②人々 ③毒 ④ジャガイモ

ATTENTION
注意力

◎◯◎は06と同じマスなので、入る言葉は「トマト」となります。トマトを英語にして指示の通り並び替えると「POTATO」なので、答えは④の「ジャガイモ」。

正解 ④ジャガイモ

5点

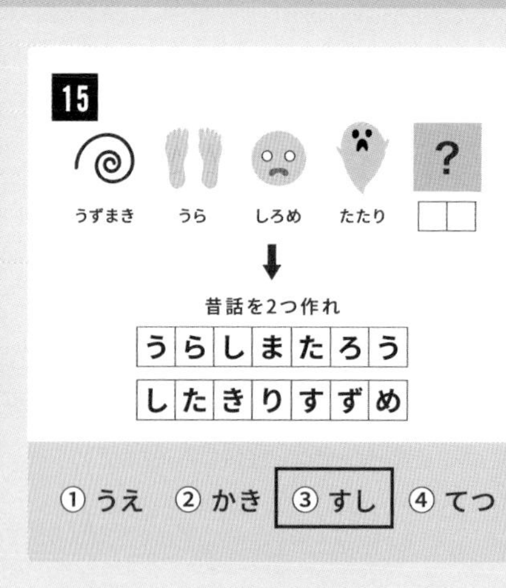

持久力

イラストの名前の文字を利用して昔話を2つ作ると「うらしまたろう」と「したきりすずめ」になります。足りない文字は「し」と「す」なので、答えは③の「すし」。

正解　③すし

5点

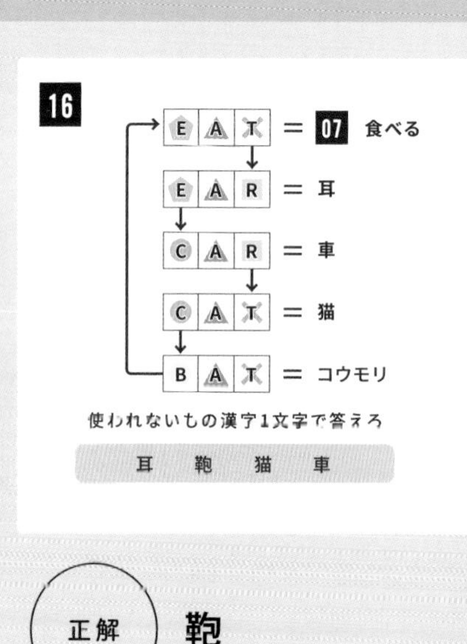

分析力

07の答え「たべる」と、問題にある「コウモリ」、そして選択肢の単語を英語に変換し、矢印の箇所のアルファベットが変化していくようにマスを埋めます。選択肢のうち使わない漢字は「鞄(BAG)」。

正解　鞄

6点

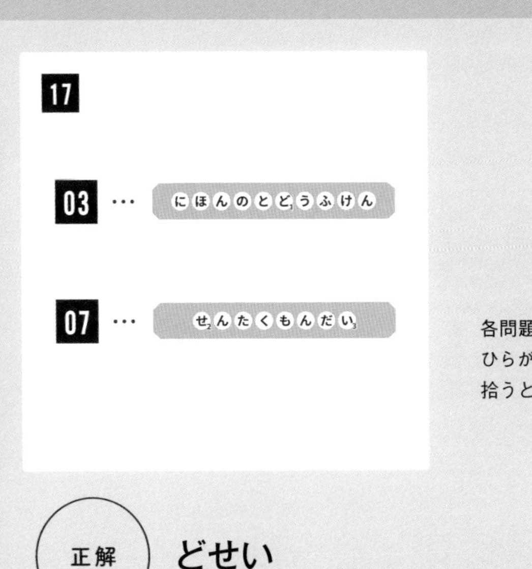

各問題からピンクの枠を探します。ひらがなにしてマスを埋め、文字を拾うと答えは「どせい」。

正解 どせい

4点

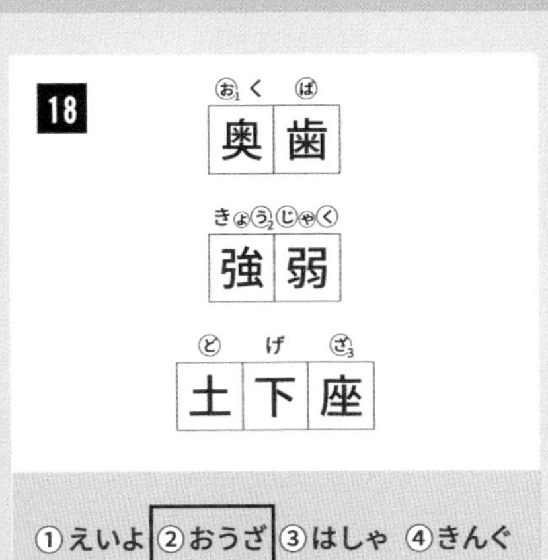

マスに当てはまる漢字はそれぞれ「奥歯」「強弱」「土下座」になります。よって番号の文字を拾うと、答えは②の「おうざ」。

正解 ②おうざ

6点

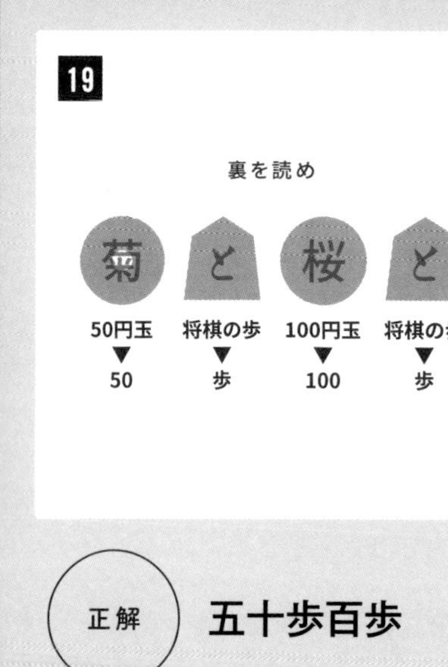

左から「50円玉」「将棋の歩の駒」「100円玉」を表しています。裏に書かれているものはそれぞれ「50」「歩」「100」なので、答えは「五十歩百歩」。

正解　**五十歩百歩**

6点

ENDURANCE

持久力

20の約数1、2、4、5、10、20の問題のピンクの箇所を使って解きます。それぞれ該当箇所は「二じゅウノ」「数字から連想」「政治資金」「文字並び替え」「漢字3文字で解答」「20」「約数から導け」なので、答えは「成人式」。

正解　**成人式**

8点

NAZOKEN 2020-04

謎検模試 04

解答・解説

配点は各問題に記しています（100点満点）。
点数に応じて、下記の等級を判定します。

等級	点数	等級	点数
1級	100点	4級	50~59点
準1級	90~96点	5級	40~49点
2級	80~89点	6級	30~39点
準2級	70~79点	7級	20~29点
3級	60~69点	8級	0~19点

01

これは謎検です。
ほとんどの問題回答方法は選択式です
選択肢の中から選んで答えてください
まず最初の問題。
答えは2つの丸の中です
正しいと思う番号を選んでください

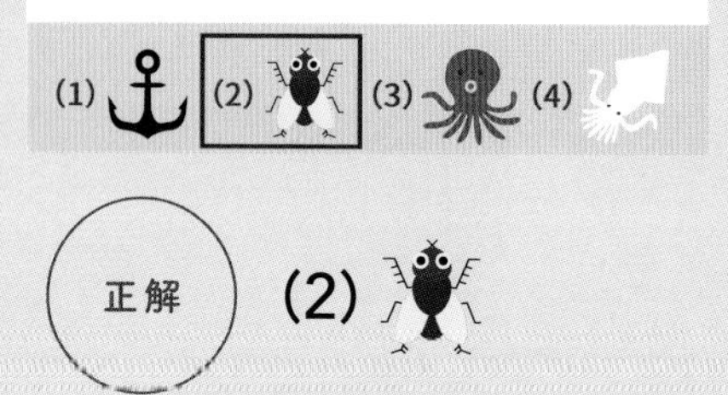

正解 (2)

ATTENTION
注意力

文章中の句点の「。」に挟まれた部分を読みます。よって答えは(2)の「はえ」。

4点

02

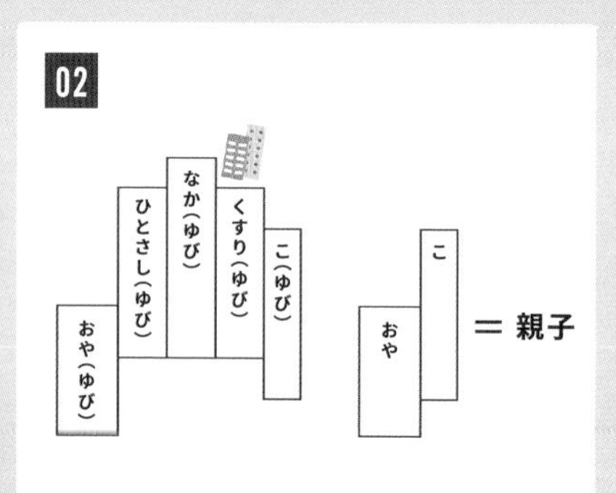

① 家族　② 計画　③ 最多　④ 行為

正解 ①家族

INSPIRATION

ひらめき力

図は手の指を表しています。?の左辺はそれぞれ「おや」「こ」なので、答えは①の「家族」。

5点

03

スタート	P	F	S	Ⓟ	T	K	G
ゴール							A
F							Ⓞ
X							Y
A							N
Ⓝ							O
A	Ⓞ	Ⓢ	L	K	Ⓘ	R	T

スタートからゴールまですごろくをした。
サイコロの出た目の数だけ進んだとき、
止まったアルファベットを順に読め。
読んだ後、指示に従い
下記の言葉を変換せよ。

POIPO

① 車　② 野菜　③ 体　④ 妹

サイコロの通りに進むと、出てくる言葉は「POISON」です。「PO」is「ON」と考えると「POIPO」は「ONION」と変換できます。よって答えは②の「野菜」。

正解　**②野菜**

5点

04

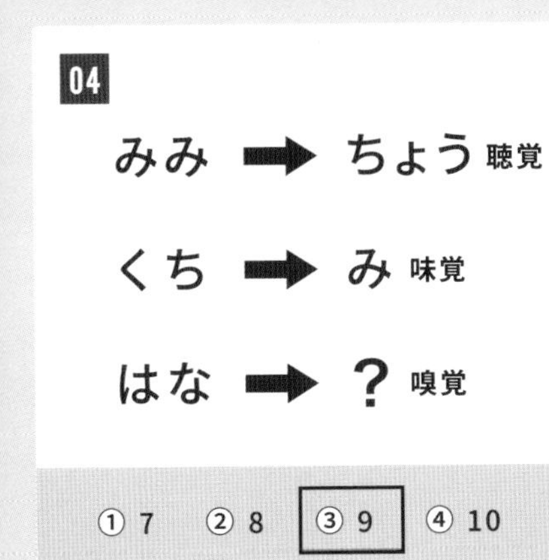

それぞれ体の部分に対応する五感の組み合わせを表しています。「はな(鼻)」に対応する五感は「嗅覚(きゅうかく)」なので、答えは③の「9」。

正解　**③9**

4点

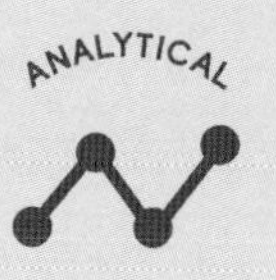

分析力

左端のマスには「LEFT(左)」、右端のマスには「RIGHT(右)」が入ります。文字を拾うと「FLIGHT」が出てくるので、答えは①の「飛行機」。

正解 **①飛行機**

5点

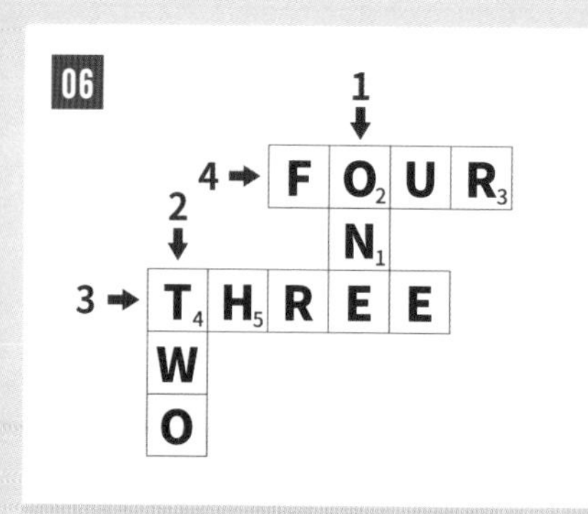

推理力

数字の箇所に数字の英語を入れてスケルトンパズルを完成させます。文字を拾うと「NORTH(北)」なので、答えは③の「方位」。

正解 **③方位**

5点

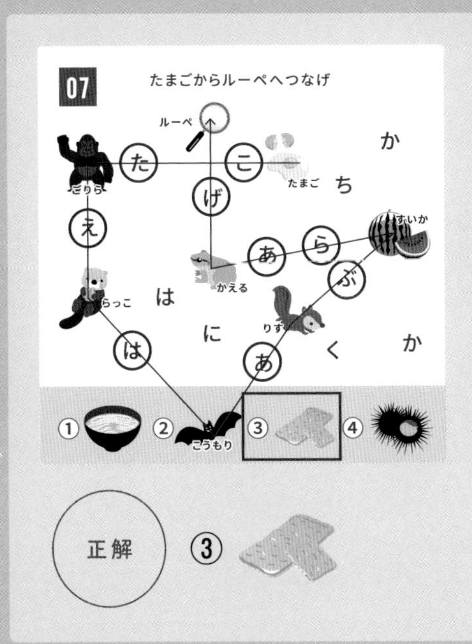

イラストをしりとりでたまごからルーペまでつなぎます。通った文字を読むと「こたえはあぶらあげ」なので、③の「あぶらあげ」が答え。

正解 ③

6点

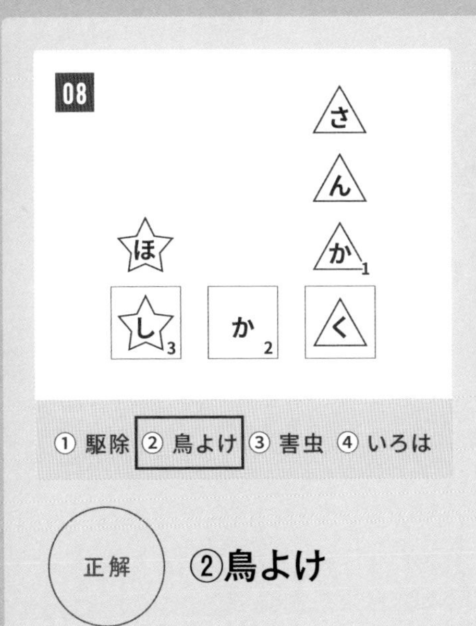

各記号の名前を入れて文字を読むと「かかし」となります。よって答えは②の「鳥よけ」。

正解 ②鳥よけ

4点

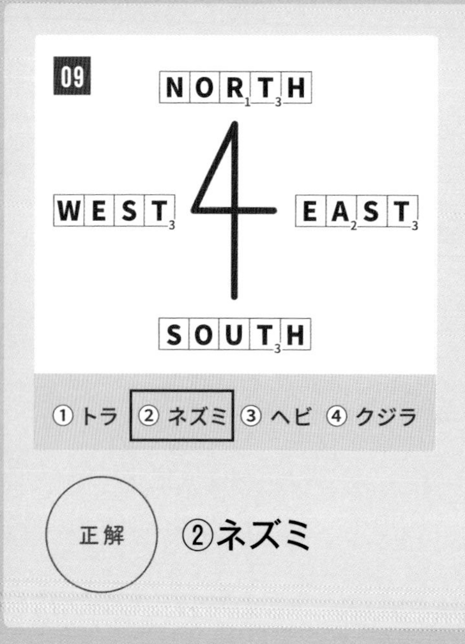

方角を英語でマスに入れ、文字を拾うと「RAT」になります。よって答えは②の「ネズミ」。

正解 ②ネズミ

4点

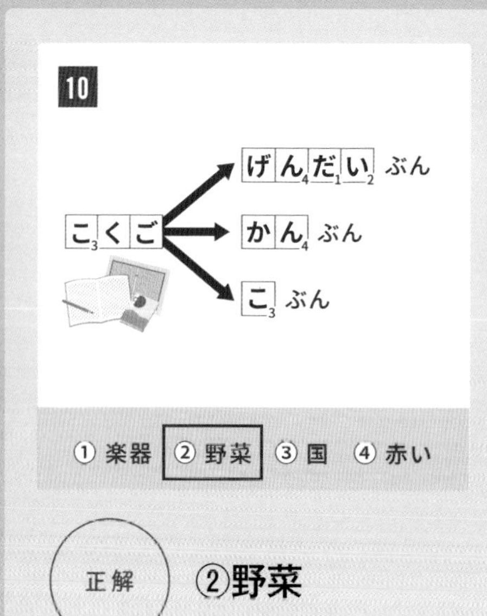

マスに入る言葉は「国語」「現代文」「漢文」「古文」になります。文字を拾うと「だいこん」なので、答えは②の「野菜」。

正解 ②野菜

6点

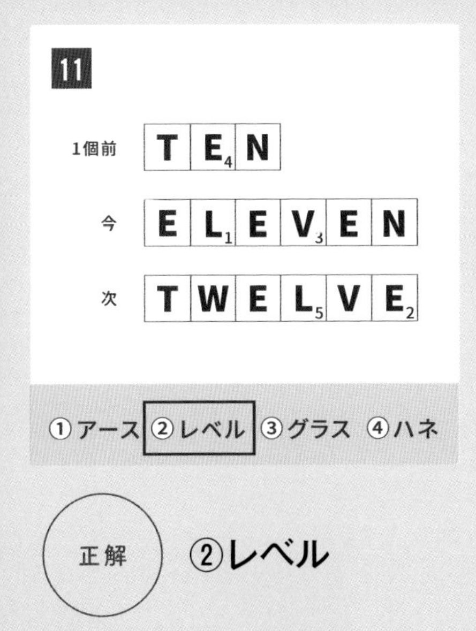

この問題は11番目なので１個前は「TEN(10)」、今は「ELEVEN(11)」、次は「TWELVE(12)」が入ります。文字を拾うと「LEVEL」になるので、答えは②の「レベル」。

正解 ②レベル

5点

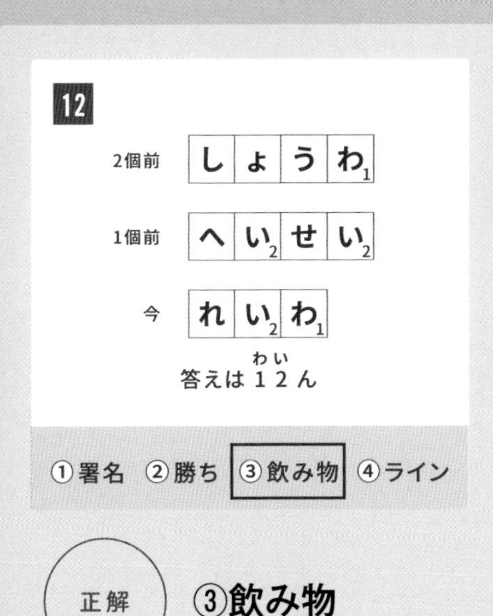

11の問題に似ていますが、別の問題として考えます。今は「令和」なので、1個前は「平成」、2個前は「昭和」が入ります。文字を当てはめると「わいん」になるので、答えは③の「飲み物」。

正解 ③飲み物

5点

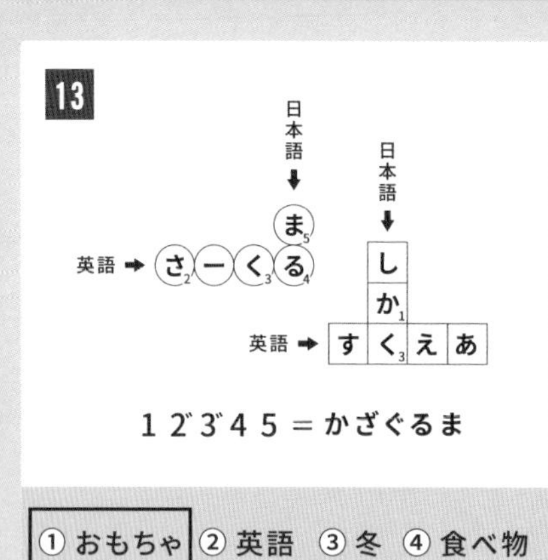

① おもちゃ ② 英語 ③ 冬 ④ 食べ物

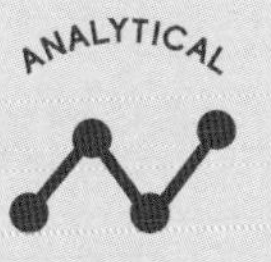

分析力

記号をそれぞれ日本語と英語で入れます。文字を拾って番号に当てはめると「かざぐるま」になるので、答えは①の「おもちゃ」。

正解 ①おもちゃ

4点

① 動物 ② 酒 ③ 果物 ④ 汗

REASONING

推理力

人差し指と傘は「さす」もの、小指と洋服は「きる」ものと連想できます。文字を拾うと「さる」になるので、答えは①の「動物」。

正解 ①動物

5点

15

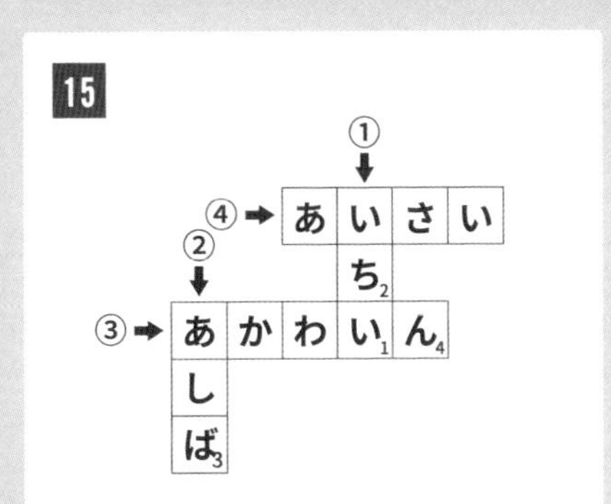

① 一位 ② 足場 ③ 赤ワイン ④ 愛妻

①、②、③、④は選択肢を示しています。それぞれの選択肢をひらがなでスケルトンパズルに入れて、文字を拾うと「いちばん」になります。よって答えは①の「一位」。

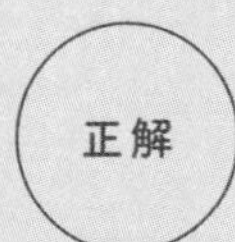

①一位

5点

16

A4	B	C	D	E	F1	G	H
Z							I2
Y							J
X							K
W							L5
V							M
U	T	S	R	Q	P	O	N3

① 終局 ② くっつく ③ 開始 ④ 離れ

03の問題に似ていますが、「G」の位置が異なるので別の問題だとわかります。マスの数、すでに入っている文字の位置からアルファベットの26文字が順番にぴったり入れられます。文字を拾うと「FINAL」となるので、答えは①の「終局」。

①終局

5点

17

4

THREE→FOUR→FIVE

① 自由　② 束縛　③ 天使　④ 天気

ATTENTION
注意力

09の図形に似ていますが、縦線が短いのでこれは別の図形であるとわかります。「4」であると考え、数字を順番に英語で入れます。文字を拾うと「FREE」となるので、答えは①「自由」。

正解　①自由

5点

18

日本語↓
英語→ブラック
ロ

日本語↓
ミ
ド
英語→グリーン

① 学問　② 地名　③ 手袋　④ 硬貨

ANALYTICAL
分析力

13と同じ要領で色の名前を日本語と英語で入れます。文字を拾うと「グローブ」となるので、答えは③の「手袋」。

正解　③手袋

4点

19

きつねうどん ➡ こうもり　　つきみうどん ➡ **かえる**

①かえる　②出発　③のり　④日付

分析力

きつねうどんは「うどん」と「あぶらあげ」、つきみうどんは「うどん」と「たまご」でできています。07の問題にある「うどん」と「あぶらあげ」の間に「こうもり」がいるので、「うどん」と「たまご」の間を見ると「かえる」がいます。よって答えは①の「かえる」。

正解　**①かえる**

6点

20

検定お疲れ様でした。
最後の問題です。
この検定において
「なくても満点が取れるもの」
すべての後ろの文字を順に読め。

持久力

この「謎検模試04」は選択肢の4番を使わなくても満点が取れます。選択肢4番の後ろの文字を順に読むと、「解答欄には来年の西暦書け」と出てくるので、答えは「2021」。※受験したタイミングの「来年の西暦」が記入されていれば正解とみなします。

正解　**2021**
（受験日によって答えは変わります。）

8点

?

NAZOKEN 2020-05

謎検模試 05

解答・解説

配点は各問題に記しています(100点満点)。
点数に応じて、下記の等級を判定します。

等級	点数	等級	点数
1級	100点	4級	50~59点
準1級	90~96点	5級	40~49点
2級	80~89点	6級	30~39点
準2級	70~79点	7級	20~29点
3級	60~69点	8級	0~19点

01

ひと ➡ ひ［とり］、ふたり

［とり］➡ いちわ、にわ

いぬ ➡ いっ［ぴき］、に［ひき］

［とり］［ひき］＝？

分析力

左辺は動物の名前、右辺にはその数え方が入ります。よって答えは「とりひき」。

正解 **とりひき**

4点

02

じゅうにじ
じゅういちじ　いちじ
じゅうじ　にじ
くじ　いちじく ＝？　さんじ
はちじ　よじ
しちじ　ごじ
ろくじ

ひらめき力

図は「時計」を表しています。対応する場所に時間を入れて、文字を拾うと答えは「いちじく」。

正解 **いちじく**

4点

03

こばた　（さびち）　しぶつ　すべて
小旗 ➡➡ 私物 ➡ ？

ANALYTICAL
分析力

矢印の数ぶん、文字を五十音順にずらすという法則があります。よって答えは「すべて」。

正解　**すべて**

4点

04

小学生：し よ4 う5 が1 く2 せ い
中学生：ち3 ゅ う5 が1 く2 せ い
高校生：こ う5 こ う5 せ い
大学生：だ い が1 く2 せ い

小学生 ➡ 中学生 ➡ 高校生 ➡ 大学生

か1 く2 ち3 ょ4 う5 ＝？

ひらめき力

マスに当てはまる言葉を探すと左から「小学生」「中学生」「高校生」「大学生」になります。文字を拾うと、答えは「かくちょう」。

正解　**かくちょう**

5点

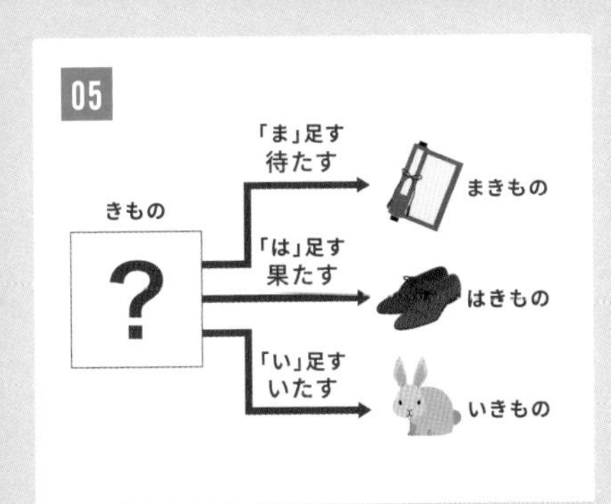

❶ノート ❷時計 ❸インキ ❹着物

REASONING

推理力

「ま」を足すと「まきもの」、「は」を足すと「はきもの」、「い」を足すと「いきもの」になる言葉である④の「着物（きもの）」が答え。

正解 **❹着物**

4点

06

左折しないようにして
最短経路を通り迷路を抜けるとき、
2回通ったマスを読め

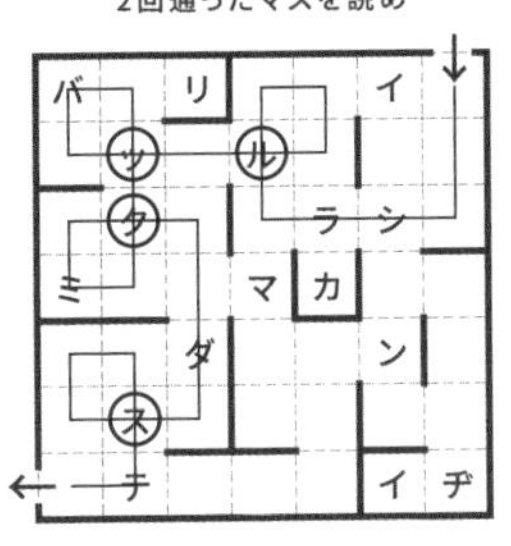

ENDURANCE

持久力

指示文の通りに進むと、左の図のようになります。2回通ったマスを読むと、答えは「ルックス」。

正解 **ルックス**

6点

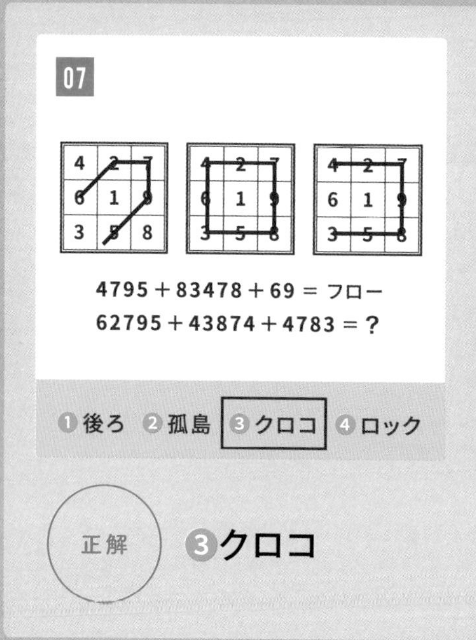

数字のマスを数字順に結ぶとカタカナ1文字になります。「＋」は文字の切れ目を示しています。「クロコ」が出てくるので答えは③の「クロコ」。

正解 ❸クロコ

4点

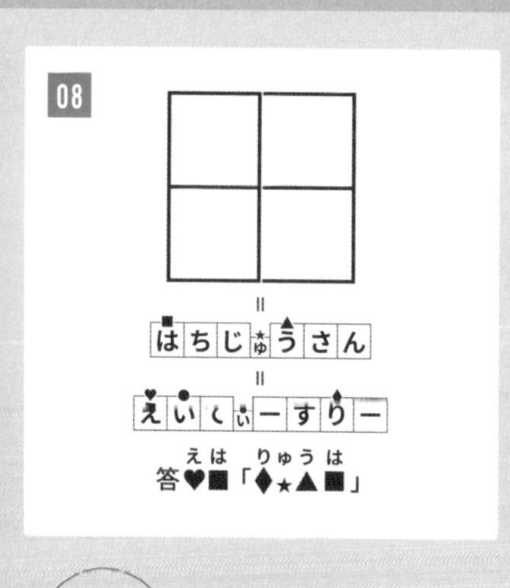

「田」のように見えますが、よく見ると中央に隙間があり「83」と読めます。「83」を「はちじゅうさん」「えいてぃーすりー」と読むと、答えは「りゅうは」。

正解 りゅうは

5点

09

やじるしのほうそくが みえ れば
↓
なぞのこたえにたどり つ ける

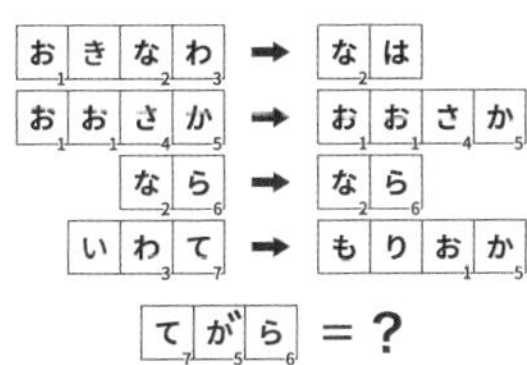

てがら ＝？

❶鏡 ❷手柄 ❸医学 ❹気軽

ENDURANCE

持久力

「みえ(三重)」→「つ(津)」が示すように、左辺を都道府県名、右辺を都道府県庁所在地になるようにマスを埋めます。よって答えは②の「手柄(てがら)」。

正解 ❷手柄

5点

10

土地 ➡ 鉄　　二日 ➡ ぬし

浅瀬 ➡ カシス　　？ ➡ 浮く瀬

わ	ら	や	ま	は	な	た	さ	か	あ
	り		み	ひ	に	ち	し	き	い
を	る	ゆ	む	ふ	ぬ	つ	す	く	う
	れ		め	へ	ね	て	せ	け	え
ん	ろ	よ	も	ほ	の	と	そ	こ	お

答えは3文字

REASONING

推理力

五十音表の上で「と」→「ち」と移動すると「てつ(鉄)」を通り、「あ」→「か」→「せ」と移動すると「かしす(カシス)」を通り、「ふ」→「つ」→「か」と移動すると「ぬし」を通ります。よって五十音表で「う」「く」「せ」を通る言葉を考えると、答えは「えいと」。

正解 えいと

5点

11

持久力

指示文の通りに文字を隠すようにピースを配置すると、左の図のようになります。ピースのない部分に注目して読むと、答えは「ノコリ」。

正解　**ノコリ**

5点

12

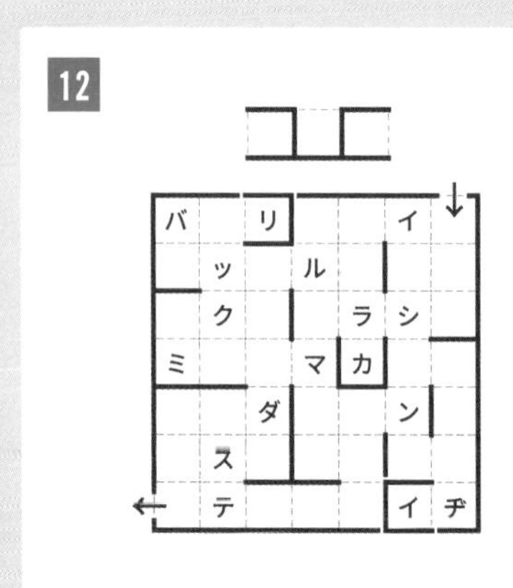

注意力

06の問題の迷路の盤面から同じように壁に囲まれたマスの文字を拾います。よって答えは「リカイ」。

正解　**リカイ**

5点

13

亥(い)12 卯(う)4 は言う

辰(たつ)5 は立つ

午(うま)7 亥(い)12 は上手い

卯(う)4 巳(み)6 ＝？

1	子	ね
2	丑	うし
3	寅	とら
4	卯	う
5	辰	たつ
6	巳	み
7	午	うま
8	未	ひつじ
9	申	さる
10	酉	とり
11	戌	いぬ
12	亥	い

⬡は十二支を表しています。該当する番号の干支を拾うと4＝「卯(う)」、6＝「巳(み)」なので、答えは「うみ」。

正解　**うみ**

5点

14

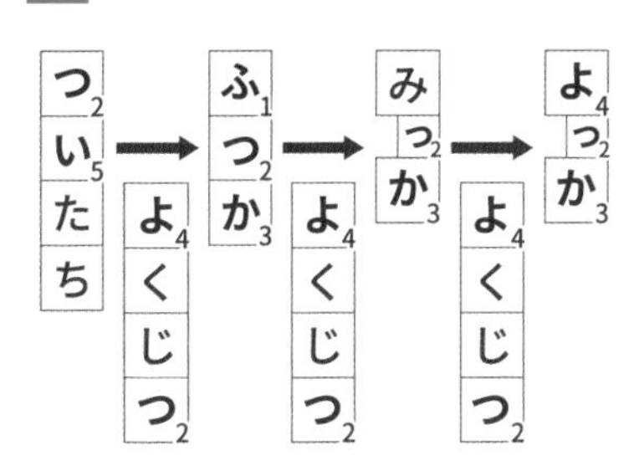

マスに当てはまる言葉を探すと、左から「一日(ついたち)」「二日(ふつか)」「三日(みっか)」「四日(よっか)」になります。矢印の下には「翌日(よくじつ)」が入ります。文字を拾うと、答えは「ふつかよい」。

正解　**ふつかよい**

5点

15

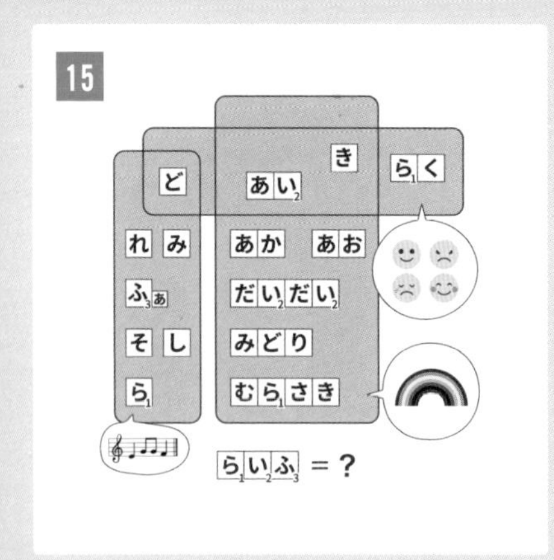

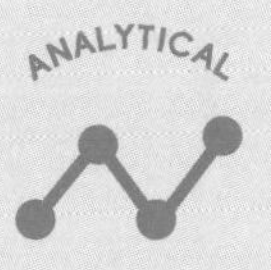

分析力

イラストは「音階」「虹の色」「感情」の集合とその重なりを表しています。音階はドレミファソラシ、虹の色は赤(あか)、橙(だいだい)、黄(き)、緑(みどり)、青(あお)、藍(あい)、紫(むらさき)、感情は喜(き)、怒(ど)、哀(あい)、楽(らく)が入ります。よって答えは「らいふ」。

正解 **らいふ**

5点

16

にごりをとりのぞいたら
ほうそくはすぐにわかる

16 → 姑息

06 → ？

REASONING

推理力

11の問題にある濁音から濁点を取り除くと「じ」「じ」→「しし(獅子)」、16の問題にある濁音から濁点を取り除くと「ご」「ぞ」「ぐ」→「こそく(姑息)」となる。06の問題にある濁音は「バ」「ダ」「ヂ」なので濁点を取り除くと答えは「ハタチ」。

正解 **ハタチ**

6点

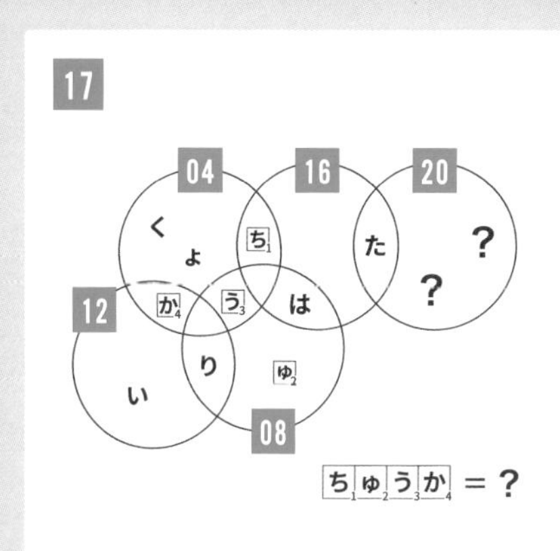

図に各問題の答えを埋めていきます。円が重なっている部分には同じ文字が入ります。よって答えは「ちゅうか」。

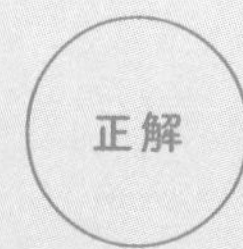

ちゅうか

5点

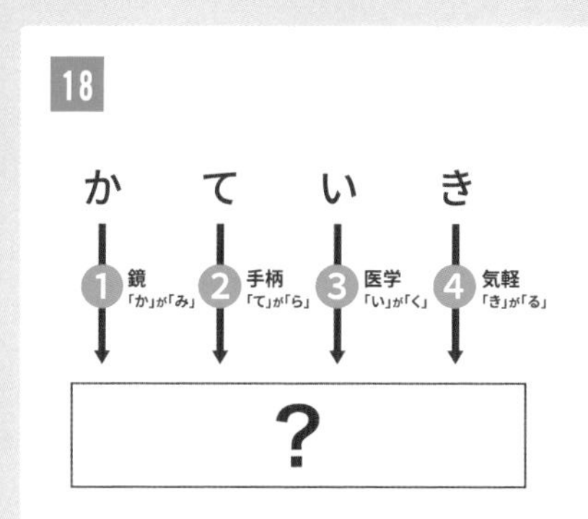

09の問題の選択肢に同じ緑の丸に囲まれた数字があります。①の鏡は「か」が「み」、②の手柄は「て」が「ら」、③の医学は「い」が「く」、④の気軽は「き」が「る」なので、それぞれ変換させると答えは「みらくる」。

みらくる

5点

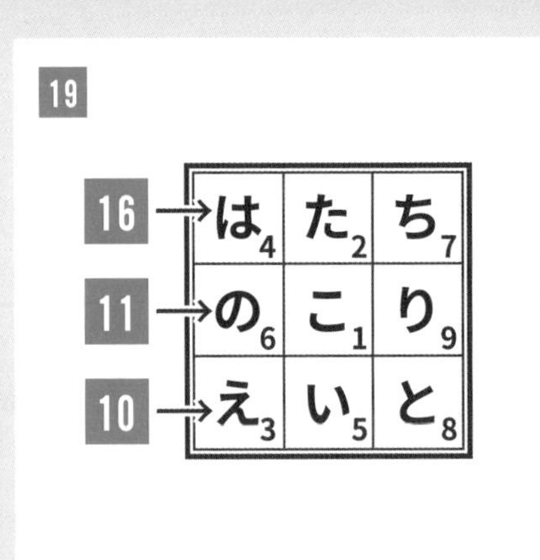

ATTENTION

注意力

16、11、10の問題の答えを矢印の向きに入れます。さらに枠が07と同じことに注目し、07の数字順に文字を読むと「こたえはいのちとり」になります。よって答えは「いのちとり」。

正解　いのちとり

5点

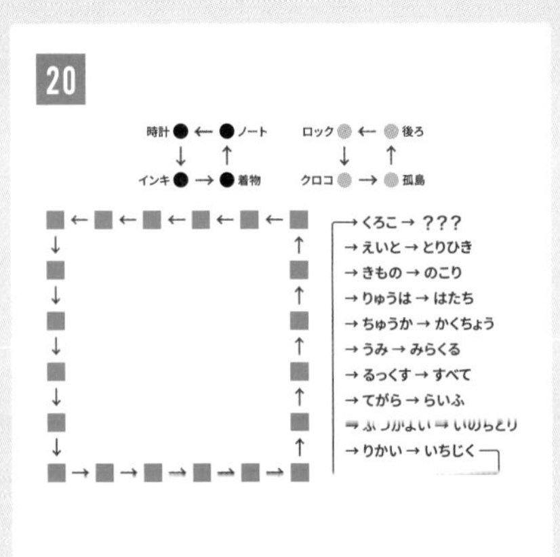

ENDURANCE

持久力

05の選択肢❶❷❸❹、07の選択肢①②③④がそれぞれしりとりでループしています。同様に緑の四角囲み＝すべての問題の答えがしりとりでループすると考えられます。20の答えは「こ」で始まり、「え」で終わることがわかり、17の問題から「た」を含む3文字であることもわかっているため、答えは「こたえ」。

正解　こたえ

0点

謎検

謎解き能力検定
2020

2020年4月24日　初版第１刷発行

著者：SCRAP
発行人：加藤隆生
編集人：大塚正美

問題制作：稲村祐汰（謎検模試01）、西山温（謎検模試02）、常春&忠村哲朗（謎検模試03）、一月瀬凪（謎検模試04）、
津山竣太郎（謎検模試05）
問題監修：武智大喜（SCRAP）
デザイン・DTP：坪本瑞希、島川知理（WHITE AGENCY）
図版制作：榊原杏奈（SCRAP）
広報・宣伝：伊藤紘子
校閲：佐藤ひかり
協力：永田史泰
担当編集：合志佳奈子（SCRAP）

発行所：SCRAP
〒151-0051 東京都渋谷区千駄ヶ谷5-20-4 株式会社SCRAP
Tel. 03-5341-4570　Fax. 03-5341-4916
E-mail shuppan@scrapmagazine.com
URL http://scrapshuppan.com/

印刷・製本所：株式会社リーブルテック

Printed in Japan ISBN978-4-909474-31-5

謎検 WEBサイト

http://nazoken.com/

こちらで謎検の申し込みを行うことができます(申し込み受付期間のみ)。

また、練習問題や無料のお試し受験コーナーも掲載しています。

ここからチェック!

解答用紙は切り離してご使用ください。➡

解答用紙A：謎検模試01(オモテ)、謎検模試02(ウラ)
解答用紙B：謎検模試03(オモテ)、謎検模試04(ウラ)
解答用紙C：謎検模試05(オモテ)

6点	5点	6点	4点	5点
11	**12**	**13**	**14**	**15**
5点	5点	4点	5点	5点
16	**17**	**18**	**19**	**20**
4点	5点	6点	5点	8点

	正解数		小計	得点
4点問題	/ 6	× 4点 =		
5点問題	/ 10	× 5点 =		
6点問題	/ 3	× 6点 =		
8点問題	/ 1	× 8点 =		点

解答用紙 A

✂ キリトリ

? 謎検模試 02 解答用紙

氏名　　　　受検日　　年　　月　　日

解答の文字の種別(漢字、カタカナ、ひらがななど)は、特に指定がない限り、いずれも正解とみなします。

制限時間＝20分

01	02	03	04	05
4点	4点	5点	5点	4点

06	07	08	09	10